P9-DBO-230

CHIEN

DU MÊME AUTEUR

Comédie sur un quai de gare, *théâtre,* Julliard, 2001.
Récit d'un branleur, Julliard, 2000 ; Pocket, 2004.
Moins 2, *théâtre,* L'Avant-Scène, 2005.
Chroniques de l'asphalte, vol. 1, Julliard, 2005 ; Pocket, 2007.
Chroniques de l'asphalte, vol. 2, Julliard, 2007 ; Pocket, 2008.
Le Cœur en dehors, *roman,* Grasset, 2009.
Chroniques de l'asphalte, vol. 3, Grasset, 2010.

SAMUEL BENCHETRIT

CHIEN

roman

BERNARD GRASSET
PARIS

Illustration de la jaquette : Lara Mendes a.k.a Luradontsurf

ISBN : 978-2-246-80457-4

à Kate Moran

1.

Je pouvais voir mon fils jouer avec le chien de notre petite voisine.

Mais je ne pouvais pas trop regarder mon fils jouer avec ce chien, parce que ma femme me parlait :

— La peau me brûle, je perds mes cheveux et mes ongles jaunissent…

Elle a tendu ses mains, ses ongles portaient du vernis.

— … Je suis allée consulter un spécialiste, le docteur Zenger, et figure-toi qu'il a fini par trouver la cause de cette maladie… Tu veux connaître la cause, Jacques ?

— Oui.

— C'est toi… C'est toi, Jacques.

— Moi ?

— Oui… D'ailleurs, tu apprendras que maintenant cette maladie porte ton nom, c'est une blanchoïte aiguë.

Je m'appelle Jacques Blanchot.

— Ça te fait plaisir ?
— Quoi ?
— Qu'une maladie porte ton nom ?
— Je ne sais pas.
— C'est quand même une chance, certains grands médecins travaillent dur toute leur vie et n'auront jamais aucune maladie ou vaccin qui porteront leurs noms... Alors que toi, tu n'as rien fait, et ça t'arrive comme ça.

Je me suis demandé si l'on était payé pour avoir une maladie à son nom. Comme un droit d'auteur.

Ma femme a continué :
— Malheureusement, cette maladie est très rare, j'en suis peut-être la première victime... Dis-moi Jacques, as-tu souvenir d'autres femmes touchées par cette blanchoïte aiguë ?

J'ai sincèrement réfléchi.
— Je ne crois pas.
— Pour le moment, il n'y a rien à faire pour la soigner... Ni traitement... Ni crème... Alors... il faudrait que tu partes.
— Quand ça ?
— Maintenant... Ça commence à me gratter.

Je me suis levé, ma femme est restée assise, elle a encore parlé.
— Peut-être qu'un jour nous pourrons nous revoir... Beaucoup d'allergiques cessent de l'être soudainement et sans explication... Comme mon

amie Catherine qui n'a jamais pu manger d'huîtres.

— Et elle peut maintenant ?

— Non... Mais depuis peu elle en supporte l'odeur.

Ma femme n'a plus rien dit mais je n'ai pas osé partir.

Elle a commencé à se gratter l'avant-bras, la tête et les deux épaules en même temps.

— Vaudrait peut-être mieux que j'y aille.

Elle a fait signe que oui.

Dans le jardin, j'ai retrouvé mon fils à qui je voulais dire au revoir. Il continuait à jouer avec le chien de notre voisine.

— Au revoir, Victor.

— Salut.

Mon fils avait douze ans et il me considérait déjà comme un étranger.

Pour ma part, je l'aimais en secret.

— Dis-moi Victor, est-ce que ça te gratte, toi aussi ?

— Non, je me gratte pas... Pourquoi ?

— Ta mère a une maladie de peau très rare, d'ailleurs cette maladie porte notre nom maintenant, alors je me disais que c'était peut-être héréditaire.

— Ça me gratte pas !

— Tant mieux.

J'ai pensé que mon fils avait sûrement hérité de mon patrimoine génétique, et vu ce qu'il pensait de moi aujourd'hui, il se préparait à ne pas trop s'aimer non plus. Mais je me suis aussi rappelé qu'il n'était sûrement pas mon fils puisqu'il était né deux ans et demi après que j'avais couché avec ma femme pour la dernière fois.

— Ça te fait plaisir qu'une maladie porte notre nom ?

— Je sais pas trop… Ça rapporte ?

— Je crois pas.

— Alors je m'en fous.

2.

J'ai descendu la rue en face de chez moi. J'avais mal aux pieds. J'ai pensé qu'il serait utile de m'acheter une paire de chaussures de sport ou de marche. Notre voiture était à ma femme et je ne voyais aucune raison pour qu'elle me la donne.

Cela m'a fait penser qu'il fallait aussi que je trouve un endroit pour dormir. Comme un appartement. La maison où j'habitais appartenait majoritairement à ma femme, et avec sa blanchoïte aiguë, elle ne voulait plus m'y voir.

Finalement, en passant devant une animalerie, j'ai décidé d'acheter un chien.

3.

Les chiots étaient à plusieurs dans des sortes d'aquariums sans eau. Peut-être étaient-ce de vrais aquariums pour gros poissons que l'on n'avait pas remplis.

Les chiots étaient excités. Ils aboyaient, tournaient en rond et faisaient tout ce qu'ils pouvaient pour que je les remarque. Cela m'a fait plaisir. Je manquais plus d'affection qu'eux. Je me suis approché d'un des aquariums. L'excitation a augmenté. L'un des chiots a foutu ses deux pattes sur la vitre, il aboyait à pleine gorge dans ma direction. Je ne savais pas s'il voulait me mordre ou s'il m'aimait. J'ai pensé à ma femme. En tout cas, ce chiot semblait être le chef de l'aquarium. Derrière lui, trois autres chiens gueulaient mais un peu moins, probablement les sous-chefs de l'autre. Encore derrière, dans le fond, un chiot restait allongé sur son flanc et contre la paroi. Il semblait mort. Je me suis approché de celui-là, les autres chiens ont suivi mon déplacement. Le chef des chiots a refoutu ses deux pattes sur la vitre, il n'aboyait plus mais respirait fort en tirant la langue, j'ai voulu le caresser.

— Faut pas toucher !

Derrière moi se tenait un type d'une cinquantaine d'années. Aussi grand que large. En le voyant, je me suis dit qu'il devait s'appeler Max, et j'ai compris du même coup le jeu de mots de l'enseigne et le nom de l'animalerie *Max Attack*.

— Comment ?

— Faut pas toucher… La plupart des gens viennent ici pour caresser les chiots et après ils repartent… Ils passent juste cinq minutes comme ça, balancent leurs mains pleines de microbes un peu partout, donnent des noms débiles aux bêtes et repartent sans se retourner… Des fois, je me retiens de sortir mon fusil…

Je voulais partir, mais le type a continué :

— Vous aimeriez que des inconnus vous caressent la tête cinq minutes en vous donnant des noms débiles ?

— Non.

— Vous détesteriez !

— Oui.

Le type a regardé les chiots qui continuaient de s'exciter dans l'aquarium, et puis il a claqué des doigts, sans même lever la main, et tout le monde s'est calmé, et moi aussi je me suis senti plus calme.

Il m'a dévisagé. J'ai souri.

— Alors… Vous voulez acheter un chien ?

J'ai continué de sourire.

— … Ou vous êtes juste passé cinq minutes pour mettre vos mains un peu partout ?

— Je veux acheter un chien.

Le type a bougé sa tête de haut en bas en expirant par à-coups. Comme pour dire que j'étais du bon côté du monde. Que j'étais quelqu'un de bien. Que les gens comme moi avaient leur place dans sa boutique. Qu'il n'allait pas aller chercher son fusil pour me tirer une balle dans la tête.

— Quel chien vous voulez ?

J'ai montré celui qui était allongé sur son flanc et qui avait l'air mort.

— Celui-là.

— Non, celui-là, il est mort… Ça serait pas honnête de vous le vendre.

J'ai voulu demander pourquoi il gardait un chien mort au milieu des autres vivants dans l'aquarium, mais je voulais aussi rester du bon côté du monde, alors j'ai continué à sourire en remuant la tête de haut en bas.

— Venez avec moi.

J'ai suivi le type jusqu'à un autre aquarium rempli de chiens.

— C'est celui-là qu'il vous faut.

Il a attrapé un chiot par la peau du cou.

— C'est le plus beau de tout le magasin !

Ce qu'il tenait devant moi était la pire chose que j'avais pu voir en vrai. Je ne sais pas pourquoi, mais j'ai pensé que c'était le chiot d'Hitler. Et que ce chiot tremblait parce qu'Hitler était mort et qu'il ne le reverrait plus. Et que les yeux du chiot étaient exorbités parce qu'un obus avait pété à un mètre de sa gueule. Et aussi qu'il bavait parce qu'il avait piqué un peu de cyanure à Eva Braun dans le bunker.

Bref, ce chiot me rappelait totalement le Troisième Reich.

— Il est beau, hein ?

— Oui.

4.

Depuis longtemps, je ne contredisais plus les gens qui aimaient quelque chose qui ne me plaisait pas. J'avais abandonné mon propre goût comme l'on quitte une terre sur laquelle rien ne poussera jamais.

Au début de ma relation avec ma femme, j'avais tenté une fois ou deux de donner mon avis.

Je l'avais accompagnée dans un grand magasin de bricolage pour la maison. Elle voulait poser des carreaux en terre cuite un peu partout dans la cuisine, la salle de bains, les W.C., et même en coller un sur le mur près de la porte d'entrée avec un mot gentil écrit dessus comme *Bonjour* ou *Bienvenue*.

Tout ce qu'elle avait choisi tournait autour du vert. Vert pomme. Vert kaki. Vert foncé. Vert menthe. Vert sapin. Vert pâle.

Nous allions vivre dans un hôpital psychiatrique.

Ma femme était excitée, et dès qu'elle dépensait plus de 50 €, elle avait l'air d'une folle.

— Ça va être beau, cela va donner de la lumière.

« Comme un matin de février au Danemark ! » j'ai pensé. Et je me suis mis à rire tout seul, cela m'arrivait parfois. Ma femme m'a regardé durement, et le vendeur aussi, même si lui se moquait de savoir qu'à présent nous aurions toujours mauvaise mine.

J'ai dit :

— Peut-être qu'on pourrait mettre une autre couleur… Pour alterner… Comme du rouge.

— Tu n'y connais rien !

J'avais pourtant été peintre. Cinq années d'études aux Beaux-Arts. Et même si je n'avais plus touché un pinceau depuis longtemps, je travaillais comme vendeur dans un magasin de fournitures pour artistes, chez *Graf-Art*.

Mais elle avait raison, profondément je n'y connaissais rien. Ou plutôt je me désintéressais vite des choses. Et j'étais celui qui s'habituerait le plus rapidement aux carreaux verts. Mon fils mettrait un bonnet et une écharpe pour aller aux toilettes, ma femme resterait convaincue que ce n'était pas le vert qu'elle avait choisi. Mais moi, je serais bien, heureux de m'être trompé, et sur mon trône, j'inventerais des histoires de forêt et de cabane perchée.

5.

J'étais à la caisse, le chiot d'Hitler dans les bras.

Le type préparait une sorte de facture avec TVA.

499 €.

— Vous avez ce qu'il faut pour le chien ?

J'ai pensé que je n'avais même pas d'endroit où dormir, et que si le chiot en avait un, on aurait pu aller chez lui.

— C'est-à-dire ?

— Vous avez jamais eu de chien ?

— Non.

Le type m'a vendu ce qu'il fallait. Une niche en mousse à 89 €. Une gamelle double à 59 €. Une laisse en cuir à 39 €. Un collier en cuir assorti à la laisse à 29 €. Un collier antipuce à 19 €. Un peigne à poil à 19 €. Un jouet en forme de carotte à 19 €. Un jouet en forme de hérisson à 19 €. Un jouet en forme de truc à 19 €. Un sac de croquettes de cinq kilos spécial chiot certifié par des vétérinaires à 49 €. Un paquet de mini-os calcium spécial dents de chiot à 29 €.

Il m'a regardé longuement, et puis il a encore bougé la tête de haut en bas en expirant par à-coups.

— Vous avez l'air de quelqu'un de bien, vous!

J'ai souri.

— Je m'appelle Max.

On s'est serré la main.

— Jacques.

Il s'est un peu approché de moi, comme pour créer une certaine intimité et que les autres chiens ne nous entendent pas.

— Ce que je vais vous dire, je le réserve à mes meilleurs clients... Je voudrais pas que vous vous retrouviez avec un chien mal éduqué dans six mois... Un anarchiste... Ce qu'il vous faut, c'est des leçons de dressage... Dix leçons... C'est moi qui les donne... Chaque samedi matin au bois de Vincennes... Vous serez avec d'autres propriétaires et leurs bêtes... Après ça, votre chien ne respirera que si vous lui dites de le faire...

J'ai pensé au chiot nazi devenu anarchiste courant en pissant sur une vaste pelouse à la Fête de l'Humanité.

— Alors, vous voulez un chien dressé?

— Oui.

— On prend dix leçons ?
— Oui.
Dix leçons à 50 € chacune.

6.

En sortant de l'animalerie, j'ai fait quelques mètres sur le trottoir. Le chiot était traumatisé de se retrouver d'un coup dans la rue. Il semblait avoir conscience de son physique, et son regard fuyant demandait quel pervers l'avait adopté.

J'avais toutes ses affaires dans les bras et il fallait que je trouve un endroit pour dormir.

Je me suis arrêté à un passage piéton pour attendre que le feu passe au rouge.

J'ai fait tomber la niche en mousse, en voulant la ramasser, le sac de croquettes m'a échappé, en ramassant le sac, j'ai lâché la laisse, le chiot a avancé sur la chaussée, un bus est passé et l'a écrasé.

Le chiot était aplati et pas plus moche qu'avant.

Ça aurait pu être un pigeon, ou un chat.

En le voyant, je me suis dit que le bus n'avait rien senti.

J'ai ramassé la laisse et tiré un peu dessus, mais le chiot était collé au bitume.

Comme personne n'était autour, j'ai décroché la laisse et je suis parti.

7.

J'ai trouvé un hôtel à 69 € la nuit près de la place de la République.

L'employé très maigre qui s'occupait de moi n'a pas voulu me donner la clé.

— On n'accepte pas les chiens.

— J'ai pas de chien.

— Alors c'est quoi tous ces trucs ?

J'ai regardé les affaires du chien que je tenais dans mes bras.

— C'était à mon chien.

— Il est où votre chien ?

— Il est mort.

L'employé maigre continuait de me regarder.

— Ecoutez, c'est pas mon hôtel ici, j'y travaille seulement depuis deux mois… Et mon patron a été très clair : interdit aux animaux… Si vous planquez un chien, moi je me ferai virer.

— Je planque pas de chien.

Il ne me croyait pas, j'étais pourtant quelqu'un qui ne mentait jamais.

— J'espère que vous ne planquez pas un chien dans vos poches.

— Comment c'est possible ?

— Un chien japonais... Ou chinois... Paraît que c'est la mode des petits chiens.

J'ai vidé mes poches sur le comptoir.

L'employé maigre m'a donné la clé, mais il ne me croyait pas.

8.

J'ai rangé les affaires du chien dans ma chambre à 69 € la nuit. La niche dans un coin, les jouets devant la niche, les croquettes et les mini-os à côté, et j'ai suspendu la laisse et les deux colliers à la poignée de la fenêtre. Pour ce qui était du peigne, je l'ai posé sur la tablette au-dessus de l'évier de la salle de bains.

Je me suis allongé sur le lit. Le papier peint était vert d'eau. J'aurais préféré un rouge carmin ou un ocre satiné, mais je n'y connaissais rien, et bientôt je trouverais cela formidable.

J'ai fermé les yeux.

La porte s'est ouverte violemment, c'était l'employé maigre qui attaquait par surprise, histoire de vérifier pour le chien.

9.

C'était le désert au travail. Juste une vieille femme qui voulait offrir une boîte de pastels à son petit-fils. Je lui conseillai la plus simple. Une boîte de 24 pastels.

Elle regarda la boîte trente-cinq minutes avant de dire :

— Vous n'avez pas quelque chose de plus grand ?

Je lui montrai la boîte à double étage contenant 48 pastels.

Elle regarda les deux boîtes trente-cinq minutes encore.

— C'est combien ?

— Celle de 24 pastels est à 36 €, celle de 48 pastels à 72 €.

— C'est deux fois plus cher.

— C'est deux fois plus grand.

— Souvent quand les choses sont doublées, c'est un peu moins cher que la version simple, vous voyez ce que je veux dire ?

— Oui.

— Si vous achetez un litre de lait à 1 €, le magasin peut vous proposer deux litres pour 1,80 €.

Je continuais de tenir les boîtes pendant qu'elle parlait.

— Alors on se demande pourquoi le litre simple n'est pas moins cher… Disons, 90 centimes tout de suite… Vous ne trouvez pas ?

— Si.

— Vous ne faites pas ce genre de chose ici… Ça se voit… Vous êtes sérieux… La boîte simple coûte 36 €, alors forcément, la double en coûte le double… 72 € pile… Vous ne vendriez pas la double à 69 € par exemple ?

Je ne savais pas à quel prix je vendrais cette double boîte. Je n'étais qu'un employé, et ça m'évitait de me poser ce genre de question.

— Non.

— C'est bien… Vous êtes sérieux.

Je savais seulement que mon patron touchait ces boîtes à 9 € la simple et 14 € la double.

— C'est parce que je ne vois pas beaucoup mon petit-fils… Je ne sais rien de ce qu'il aime… Ma fille dit qu'il n'aime rien… Alors je voulais lui offrir quelque chose… Quelque chose de gros et pas cher.

Elle prit la boîte simple à 36 €.

10.

A l'heure du déjeuner, je ne déjeunais pas. Je n'avais plus assez d'argent pour manger à midi. Je préférais garder de quoi acheter du café pour le matin, ou un sandwich le soir.

Je dormais mal le ventre vide.

Je restais l'heure du déjeuner enfermé dans le bureau du magasin. L'endroit avait été une remise servant à stocker le matériel, à l'époque où matériel nous vendions. Aujourd'hui, les artistes ne peignaient plus que sur des tablettes numériques, et la remise était devenue un bureau, dans lequel un ordinateur avait été installé, ordinateur servant à inventorier le matériel que nous ne vendions plus.

Parfois, je regardais des choses sur Internet. Des choses improbables, car je n'avais rien à chercher en particulier.

Je finissais sur des sites de ventes de sapins de Noël en août. Des réseaux de matériel de pêche. Une fois, j'appris comment recharger en air comprimé une bouteille de plongée sous-marine.

Ce midi, je tentai un moment de retrouver la race de mon chiot mort.

Google images.

J'entrai chien.

Puis chiot.

Des centaines d'images de petites gueules mignonnes apparurent sur l'écran.

Je tapai : Chiot moche.

Des nouveau-nés monstrueux qui défilaient, aucun n'arrivait à la cheville de mon chiot moche à moi.

Nous aurions sûrement gagné des médailles ensemble.

Le mien était l'addition de tous les autres. Son poil rêche jaune et troué, sa langue tachée et pendante de côté, ses gros yeux injectés de sang dans lesquels venait se perdre le pus d'une conjonctivite permanente, son regard fuyant et terrifié, son corps carentiel, son ventre ballonné, sa toux.

Il me manqua pour la première fois.

J'abandonnai la recherche.

Je tapai toutes sortes de mots au hasard.

Enfant.

Fils.

Homme.

Carrelage.

Blanchoïte aiguë.

Prurit.

Cœur.

Je finis par chercher Wikipédia dans Wikipédia.

Quelques mois plus tôt, mon patron m'avait demandé d'apprendre à me servir d'Internet.

Il voulait que je « fabrique » un site.

Je mis un peu plus d'un an à comprendre sur quel bouton appuyer pour me connecter.

L'idée de mon patron était de développer un secteur numérique, comme le faisaient nos concurrents. Dans un premier temps, je comparai nos prix à ceux de nos rivaux. Nous étions les plus chers. Ensuite, je me baladai sur plusieurs blogs, histoire de lire ce que les clients pensaient de notre commerce. Nous étions antipathiques, malhonnêtes, et l'hygiène du magasin craignait sérieusement.

Un matin, mon patron m'apprit qu'il avait engagé un nouvel employé. Michael. Un garçon d'une vingtaine d'années qui nous rejoindrait bientôt, dès son retour des Etats-Unis où il finissait ses études de graphiste numérique. Michael était le neveu de la femme de mon patron, et donc le neveu de mon patron par alliance.

Mon patron était entré dans le bureau, et m'avait annoncé la nouvelle ainsi :

— Nous allons avoir un nouveau ici, un petit génie du numérique, c'est le neveu de ma femme, c'est le meilleur de son école de graphisme aux Etats-Unis… Il va redresser la boîte !

Mais voilà ce que j'avais réellement entendu :

— Le neveu de ma femme arrive alors prépare-toi à dégager !

Je n'étais pas voyant, mais il pouvait m'arriver de prévoir mon avenir.

Le magasin était en faillite, et je devenais le plus mauvais employé qui soit, puisque le magasin changeait d'activité.

J'avais été engagé comme stagiaire à l'époque où j'étudiais aux Beaux-Arts. Les étudiants qui travaillaient ici recevaient un salaire misérable mais profitaient d'une remise exceptionnelle de 25 % sur le matériel.

J'avais rapidement abandonné la peinture et les 25 % de remise, mais gardé le salaire misérable.

Un an plus tard, mon patron m'engageait définitivement, et même si au fil des années mon salaire avait doublé, il restait à demi misérable.

11.

Vers 15 heures, le type de la banque m'a téléphoné au travail. C'était désormais le seul endroit où l'on pouvait me joindre. Je n'avais jamais vraiment possédé de portable. Le dernier en date m'avait été volé par mon fils, qui s'était habitué à me dépouiller de tout ce qui pouvait tenir dans ses poches. En général, il me cambriolait la nuit, entrant dans notre chambre avec la délicatesse d'un aveugle ivre mort.

Je le regardais faire. Ouvrir mes tiroirs, tapoter sur ma table de nuit, fouiller mes poches de pantalon. Parfois, nos regards se croisaient dans l'obscurité. Je fermais les yeux pour le rassurer sur mon sommeil. Je savais que mon fils ne revendait pas ce qu'il me dérobait. Il se faisait racketter par une bande de voyous à l'école, à qui il devait faire toutes sortes d'offrandes plusieurs fois par semaine.

Le directeur de l'école nous avait convoqués à ce sujet. Ma femme s'était mise à hurler, insultant l'ensemble du service public, des surveillants au ministre de l'Education nationale.

Pour ma part, j'avais été ému, trouvant une rare occasion d'hérédité avec ce garçon.

En sortant de l'école, ma femme s'en était prise à moi.

Cela dura tout le trajet jusqu'à la maison, dans la cuisine, pendant le dîner, devant la télévision, au lit.

Elle semblait enrhumée de haine. Reniflant fort, mais ne cherchant pas à se moucher. Satisfaite de sa légère fièvre, jouissant à chaque éternuement de colère.

Régulièrement, elle prenait une pause pour me regarder, et me lançait avec un soupir de dérision :

— Et toi tu ne dis rien !

A quoi je répondais :

— Si.

En vérité, je calculais en secondes dans ma tête les écarts de ses *et toi tu ne dis rien*, et trouvais amusant quand ils tombaient deux fois de suite au même temps d'intervalle.

Une fois elle battit un record sans s'en rendre compte : à neuf reprises, ses *et toi tu ne dis rien* tombèrent à 97 secondes d'intervalle.

Je gardai secret son exploit.

Pour que ma femme arrête, il aurait fallu que quelqu'un la fende en deux d'un coup de hache par-derrière. Mais la plupart du temps, elle s'épuisait elle-même, tombant dans une sorte de léthargie, son discours bifurquant sur sa propre vie, le vide de ses journées, l'hypocrisie de ses amies, la misère de notre relation, ma mollesse, mon manque d'entrain, de courage, de culture, d'ambition, de relations…

Nous restions tous les deux allongés sur le lit à regarder le plafond.

Je l'écoutais parler, j'étais bien.

— J'ai l'impression que tu t'es vidé de tout au fil des années… Tu ressembles à ce vase posé sur la table du salon…

Je visualisai le vase dont elle parlait. Il était assez grand, transparent et pouvant contenir un bouquet de taille moyenne. Mais je n'avais pas souvenir qu'il ait connu la moindre fleur. D'ailleurs, je ne le considérais pas comme un vase, c'était un objet indéfini, qui avait échappé à son destin, fabriqué pour une fonction qu'il ne remplirait jamais.

Ma femme éteignit la lumière et me tourna le dos.

Je n'étais pas plus fort dans le noir, mais j'aimais ma voix, elle me semblait celle d'un autre.

— Demain j'irai à l'école, je trouverai les voyous qui embêtent notre fils.

12.

Il y a toujours un chef. Celui de la bande qui maltraitait mon fils s'appelait Stanislas, je le connaissais de vue, il avait treize ans, et il était plus grand que moi.

Lorsque j'avançai vers lui, il me regarda en souriant.

— Je crois que tu as pris mon téléphone.

— C'est votre fils qui me l'a donné.

Il souriait.

— Il ne te l'a pas donné volontairement.

— Si.

— Tu lui as demandé de te le donner.

— Non.

— Alors ?

— Alors quoi ?

— Tu dois me le redonner et arrêter de nous voler.

— C'est pas du vol… C'est lui qui est toujours à nous ramener des choses de chez vous… On lui a jamais rien demandé, mais il veut qu'on soit amis, alors il nous fait des cadeaux… des choses à vous.

Mon fils est arrivé. Il n'a pas eu l'air joisse de me voir parler avec Stanislas.

— Qu'est-ce que tu fous là ?

— Je suis venu pour récupérer mon téléphone, et j'ai promis à ta mère de parler à tes copains pour qu'ils arrêtent de te racketter.

Stanislas a dit :

— On n'est pas ses copains.

Et mon fils :

— Ils me rackettent pas, c'est moi qui leur donne des choses.

— Mais pourquoi ?… Tu peux te faire accepter autrement, pour tes qualités humaines.

Ils se sont marrés tous les deux. Ils semblaient d'accord sur ce point : mon fils n'avait aucune chance de devenir copain avec ces gars en comptant sur son humanité.

— Ecoute, papa, tu ferais mieux de rentrer à la maison… Tout ça te regarde pas.

— C'est quand même mes affaires que tu voles à chaque fois.

Mon fils me fixait et Stanislas continuait de sourire, heureux de découvrir de qui mon fils tenait sa médiocrité.

— Pourquoi tu piques pas aussi des trucs à ta mère ?

— Elle n'a rien qui m'intéresse ou que je peux leur donner.

— Elle a du fric... Les mêmes billets que les miens... Pourquoi tu lui piques pas son fric à elle ?

— J'en sais rien.

En vérité, mon fils et moi savions parfaitement pourquoi j'avais l'exclusivité de ses larcins. Il ne me considérait pas comme son père. Au-delà du fait que je ne l'étais sûrement pas d'un point de vue biologique, ma femme avait tout fait, dès sa naissance, pour nous éloigner. Elle avait réussi à construire un mur épais entre nous. Les premières briques avaient été posées à la maternité, lorsque ma femme m'empêcha de prendre le bébé dans mes bras.

— Tu ne devrais pas le porter, tu es sûrement malade.

— Je ne suis pas malade.

— Tu en es certain ?

— Je me sens bien.

— Tu es souvent malade...

— C'est vrai, mais…
— Tu as toussé hier.
— Ah oui ?
— Oui, au déjeuner.
— J'avais sûrement avalé de travers.
— Ne prenons pas de risque… C'est un tout petit bébé, très faible, attends qu'il soit immunisé pour le toucher.

J'attendis deux ans.

Le temps qu'il dorme dans sa chambre.

Je programmais mon réveil deux heures avant mon lever habituel, et j'allais m'installer sur la petite malle près de son lit. J'aimais ces moments. Même si je craignais que ma femme me surprenne.

J'avais préparé des excuses.

— Il a fait un cauchemar… Il a toussé… Il m'a appelé dans son sommeil… Oui, il a hurlé mon nom !

Je n'ai pas touché mon fils cette première nuit. Il en a fallu plusieurs. Ma femme avait réussi à me convaincre de ma mauvaise santé permanente. Je faisais partie d'une espèce trop sale pour entrer en contact avec d'autres peaux neuves et saines.

Et la première fois que je le touchai, je ne m'étais pas convaincu du contraire, je déposai mon doigt sur son front comme un égoïste, risquant de contaminer l'être pur endormi, pour mon seul plaisir personnel.

Je caressai son profil.
Du front au menton.
Tout était là.
Parfaitement à sa place.
Lorsque mon fils ouvrait les yeux, nous restions accrochés l'un à l'autre, et souvent, il lui arrivait de me sourire avant de repartir dans son royaume.
Peut-être que lui-même venait désormais me voler dans ma chambre la nuit pour se rappeler mes visites nocturnes.
Tel était notre lien, secret et silencieux.

Mais le jour arrivé, nous reprenions chacun notre place, derrière le mur qu'avait construit ma femme.

Je me suis retourné vers Stanislas.
— Et mon téléphone ?
— De quoi ?
— Il est où ?
— Je l'ai donné à mon père.

13.

Le type de la banque m'a téléphoné. Monsieur E. Letteret voulait que l'on se voie. Ma femme l'avait déjà prévenu qu'elle n'était plus ma femme. Il fallait que l'on parle du crédit en cours pour la maison dans laquelle elle vivait encore avec mon fils (30 ans d'échéances mensuelles à 850 € par mois).

— Il faut que l'on parle des échéances monsieur Blanchot… A priori, votre femme ne veut plus se porter caution… Nous allons trouver une solution… Pas d'inquiétude…

Réellement, mon banquier n'avait aucun pouvoir dans la banque qui l'employait. Il représentait l'avant-dernier maillon de la chaîne, juste un cran au-dessus de la fille aux ongles bicolores qui délivrait les chéquiers derrière son guichet.

Son seul pouvoir, il l'avait sur moi, et les trente autres millions de types dans mon genre.

Monsieur E. Letteret s'occupait d'une centaine d'entre nous. Et d'autres E. Letteret plus gradés s'occupaient des centaines de E. Letteret qui s'occupaient de nous.

Souvent le soir avant de m'endormir, je pensais à mon banquier. J'essayais d'imaginer sa vie, sa femme, sa maison. Je me le représentais non-fumeur. Cycliste. Skieur en février.

Et puis, ma pensée échouait toujours au même endroit : à quoi correspondait le E devant Letteret ?

Pour résumer, lorsque E. Letteret me disait vouloir parler des échéances, cela signifiait :

— Comment tu vas faire pour payer ? Hein ? Comment tu vas faire toi, pauvre merde couverte de mouches à dettes… Ta femme t'a viré, elle veut garder la baraque, et alors gerbe immonde, va bien falloir que tu trouves un endroit où foutre ton mètre soixante-dix informe et répugnant… Et tu crois que tu peux t'écraser d'un deuxième loyer, saloperie inutile ? Ferais mieux de vendre un rein pour t'acheter un fusil et t'en tirer une entre les deux yeux.

Et quand il parlait de ma femme qui se désolidariserait de ma caution :

— Qui peut te couvrir désormais ? On miserait plus sur le dernier connard dans le coma en soins palliatifs à Villejuif… Tu le vois, le clodo qui vient se coller contre l'aération de la banque toutes les nuits… Regarde-le bien… Et quand tu te promènes dans la rue, mémorise les plaques chauffantes, les sols grillagés… Anticipe ton avenir, mon gars… Vise le ras du sol… Commence à marcher la tête baissée…

Enfin, lorsque de sa voix chaude et rassurante, il disait vouloir trouver une solution et ne pas s'inquiéter :

— Crève, crève et crève… Je suis pas ton assistante sociale, je suis ton banquier… Tu la sens la différence humaine… Alors inquiète-toi misérable étron, inquiète-toi profondément… Parce que je suis le dernier mec sur cette Terre à me soucier de ton problème à 850 balles... Je m'occupe que de mon compte perso, et je passe mes journées à m'en occuper... Je suis au courant des bons placements, des petites actions ici et là... Oh, je prends pas de grands risques, dans ma partie, je suis aussi un minable, mais un minable créditeur, qui accumule exactement ce que tu perds chaque mois... Je parie que tu te demandes à quoi correspond le E devant Letteret... je vais te le dire... C'est pas Emile, ni Etienne, Eric ou Emmanuel... C'est Enculé.

Nous étions vendredi, rendez-vous fut pris pour le lundi suivant à 8 heures.

14.

Sur le chemin vers mon hôtel, j'hésitai à passer voir mon fils. En réalité, je voulais voir ma femme. Je m'inquiétais pour sa blanchoïte. Peut-être que mes vingt-quatre heures d'absence avaient suffi à la soigner ? Après tout, je pouvais facilement retourner chez moi le lendemain de mon départ. J'avais toujours les clés. Des hommes feraient ça. Ils rentreraient à la maison. Ils rentreraient contrariés. Ça ne va pas en ce moment. Nous avons un problème. C'est normal d'avoir des problèmes après des années de vie commune. Mais regarde, je rentre à la maison. C'est encore chez nous. C'est toujours chez moi. Et puis, je dois coucher notre fils. Il a besoin de me sentir. D'entendre ma voix. Nous ne pouvons pas devenir des étrangers plus vite que nous nous sommes connus.

Au moment d'acheter notre maison, ma femme venait de recevoir l'héritage de son père, mort un mois plus tôt d'un cancer du poumon. Cet argent suffisait largement pour l'achat de la maison, mais elle avait catégoriquement refusé de payer seule.

Elle ne voyait aucune raison de payer pour moi.

C'était, selon elle, une question d'égalité entre les hommes et les femmes.

Nous habitions alors un petit trois-pièces près de la porte d'Ivry. Le loyer était entièrement à ma charge, comme le reste des dépenses quotidiennes. Ma femme ne travaillait pas, et depuis la naissance de notre fils, elle avait commencé une formation pour devenir masseuse, spécialisée en shiatsu, acupunctrice et psychologue à travers la manipulation de la plante des pieds.

La première année, je lui servis de cobaye.

Je passai le mois de décembre au service de rééducation à l'hôpital Ambroise-Paré après que ma femme m'avait broyé deux vertèbres.

Puis en réanimation au mois de mars suivant, dans le même hôpital, suite à une séance d'acupuncture de cinq heures qui me fit perdre trois litres de sang.

Quant à ma psychologie plantaire, le résultat fut sans appel : j'étais maniaco-dépressif à tendance suicidaire, mettant la vie des autres en danger à travers la mienne.

J'aimais bien le père de ma femme. Il ne parlait pas beaucoup et souriait toujours, et cette vieille façade donnait l'impression qu'il avait déjà trop parlé et peu souri.

Un jour, il m'avait téléphoné pour me demander de lui rendre visite.

J'étais allé chez lui un après-midi. Il nous servit deux grands verres de cognac, puis nous nous installâmes dans son salon, sur deux fauteuils l'un en face de l'autre.

Le temps passa, silencieux.

Parfois, après une gorgée de cognac, je lançai :

— Il est bon.

Ce à quoi il répondait sans ouvrir la bouche :

— Mmm.

Je repartis trois heures plus tard, il me raccompagna à la porte.

Avant que je ne sorte, le père de ma femme attrapa mon avant-bras qu'il serra fort et tendrement.

Il dit :

— Je sais.

Je répondis :

— Je sais.

Et il ajouta :

— Je sais que vous savez.

Ce fut le moment le plus intense que je vécus avec cette famille, toutes générations confondues.

Alors que nous habitions notre appartement porte d'Ivry, ma femme se lança dans l'enfer d'une recherche de maison.

Elle avait un budget, le double de celui qu'elle voulait investir.

Pour l'autre moitié, elle comptait sur moi.

C'est à cette époque que je rencontrai E. Letteret.

Il fut si sympathique la première fois que je faillis lui raconter mes secrets les plus intimes et l'embrasser en partant.

Ce jour-là, E. Letteret avait mis moins de trente minutes à me faire signer un emprunt de 225 000 € sur trente ans à un taux de 7 %.

Personne au monde ne peut vous avoir plus rapidement et avec votre consentement.

J'allais faire partie de ceux qui, pendant trois décennies, payeraient les vacances de ses enfants, leurs études, ses cadeaux de Noël, d'anniversaire, l'enterrement de ses parents, son appartement en copropriété dans une station de ski.

J'allais être la banque de mon banquier.

Pour obtenir mon prêt, je dus faire une multitude d'examens de santé. On ne s'inquiétait pas pour moi, on voulait juste savoir si j'allais tenir. Si mon taux de cholestérol ou de diabète n'allait pas exploser d'ici ces trente prochaines années. Si mon cœur ne lâcherait pas. Si je ne planquais pas un cancer, une sclérose, un sida quelque part. Si mon hépatite A ne deviendrait pas C.

Je remplis un questionnaire de tout ce qu'on ne pouvait pas sonder.

Et là où la science ne pouvait aller, on fabriquait des formulaires qui portaient le titre :

Questionnaire de confiance.

Etes-vous dépressif?..........O/N

Consommez-vous des substances illicites?......O/N

Buvez-vous plus de deux verres de vin par jour?.......O/N

En dehors du vin, buvez-vous un ou plusieurs verres d'alcool par jour?.........O/N

J'entourai les N partout.

Je ne mentais pas. Je ne mens jamais. Je n'étais ni dépressif, ni drogué, ni alcoolique. Aucun membre de ma famille proche n'avait connu de problème de santé avant l'âge de soixante ans. Ils étaient morts un an plus tard, au début de la retraite, juste après avoir trimé quarante années dans les mêmes usines, à soulever les mêmes sacs d'ordures et à obéir aux mêmes ordres.

La mort de mes parents à soixante et un ans ressemblait à un suicide maquillé. Cela arrangeait tout le monde qu'ils meurent. D'un point de vue général, ils ne servaient plus à rien sans travailler. D'un point de vue personnel, ils n'avaient pas les moyens de vivre s'ils ne travaillaient pas.

En bas de la page du questionnaire de confiance, après avoir répondu à la vingtaine de questions, on vous demandait de signer sous la mention : Je jure sur l'honneur.

De quel honneur parlait-on ? L'honneur personnel ? L'honneur de la France ? L'honneur médical ? L'honneur de la banque ?

Est-ce que ces examens existaient parce qu'un homme malade avait menti sur son état de santé ? Un type souffrant d'un cancer incurable, qui aurait subitement eu l'envie de prendre un crédit sur trente ans pour se payer un appartement de 60 m^2 ?

Ou alors était-ce l'un de ces banquiers qui, un matin, ayant atteint son taux maximum de dégoût des hommes, avait imaginé le pire de ses frères, capable de cacher sa mort prochaine pour se payer un bout de paradis ?

Le prêt me fut accordé. Nous étions propriétaires d'une maison.

Aujourd'hui, en rentrant du travail, je suis passé devant sans oser y entrer.

En traversant la réception de mon hôtel, l'employé maigre a regardé derrière moi pour vérifier qu'aucun chien ne me suivait.

15.

Je restais allongé. Je n'avais pas assez d'argent pour dîner. Juste un peu de monnaie que je préférais garder pour me payer un café et un croissant le lendemain matin.

Je me réveillais mal le ventre vide.

L'employé maigre entra par surprise dans la chambre ; il sembla déçu de n'y trouver aucun autre mammifère vivant que moi.

J'avais lu une étude qui disait qu'il était préférable de s'allonger sur son côté gauche. D'être sur le côté du cœur favorisait le repos et évitait les problèmes de dos, d'apnée du sommeil, de ronflements, ainsi que les risques de crise cardiaque ou de rupture d'anévrisme. Sûrement qu'au printemps une autre étude pencherait du côté droit, mais pour l'instant, la mode était à gauche.

Dans cette position, propice à ma santé, je me retrouvais face au mur, et même collé au mur étant donné la largeur du lit. Tel était mon dilemme : dormir sans risque de mort mais le nez écrasé contre le mur, ou me retourner et mettre ma vie en danger, pour profiter de la vue sur ma chambre, de la niche du chien, des sacs de croquettes, de la double gamelle, et des attaques surprises de l'employé maigre.

Après quarante minutes de réflexion, je choisis la vue sur la chambre et la menace d'une mort imminente.

J'essayais d'entendre battre mon cœur, mais je n'étais pas doué pour ces choses, comme les gens qui semblent si bien se connaître qu'ils peuvent déterminer sans autre avis, s'ils souffrent de tel ou tel mal. Je n'entendais pas mon cœur battre, mais cela ne voulait pas dire que j'étais mort puisque j'essayais de l'entendre.

Trente-cinq minutes plus tard, je fis une sorte de découverte scientifique.

Si je me retournais dans le lit (pieds-tête), alors je pourrais être du bon côté, le gauche, avec vue sur ma chambre.

Ce fut la meilleure nouvelle de la journée, et tout en m'exécutant, je me remis mentalement le Nobel de science.

16.

La nuit était tombée depuis longtemps, mais je n'arrivais pas à dormir. Je n'avais aucune idée de l'heure, pas de montre, ni aucune indication d'horaire dans la chambre ni dans la rue.

J'avais faim.

Je me levai pour tourner un peu dans la chambre. En quittant le lit, un craquement déchira le silence, et je fus incapable de savoir s'il s'agissait du sommier, du parquet ou de ma colonne vertébrale.

Je regardai les affaires du chiot.

Il me manqua.

J'eus envie de retourner à l'endroit où le bus l'avait écrasé. De le récupérer et de trouver un lieu pour lui, qu'il repose quelque part dans un parc, près d'un arbre, ou sur les quais au bord du fleuve.

Mais les services de voirie étaient certainement déjà passés et l'avaient ramassé pour le jeter dans une décharge.

J'essayais d'imaginer quels auraient été nos premiers jours ensemble. Je ne voyais rien de différent. J'étais exactement à la même place, allongé dans un lit, ou au milieu d'une chambre d'hôtel qui aurait accepté les animaux.

Peut-être que je devais lui trouver un nom. Cela m'aiderait à faire mon deuil. Chaque être qui a vécu sur cette terre est en droit de posséder un nom.

Là non plus, je n'étais pas expert. Je n'avais pas choisi le nom de notre fils. Et j'avais été tenu à l'écart de cet événement encore plus nettement que lorsque mes propres parents avaient décidé de mon prénom.

Je n'avais réellement jamais rien choisi. Je participais à la vie des autres. J'accompagnais leurs projets. Me retrouvais par hasard au milieu de leurs envies. De maison. De voyages. D'enfants. Et cela dès ma naissance, lorsque mes parents eurent, je ne sais pour quelle raison mystérieuse, le désir de m'avoir, ou plutôt d'avoir un enfant, comme pour ressembler à leurs voisins, qui avaient voulu imiter leurs amis, qui jalousaient leurs cousins.

J'abandonnai l'idée de trouver un nom au chiot mort.

J'allai m'asseoir sur le bord du lit. Je restai un moment à regarder vers le sol au niveau de la niche.

Puis je tapai trois fois sur ma cuisse, accompagné des paroles :

— Viens mon chien !

Le chiot mort et invisible sortit sa petite tête de la niche et traversa maladroitement la chambre pour venir s'asseoir devant moi.

Je lui caressai la tête affectueusement.

— C'est un bon chien ça… Gentil…

Je me levai. Le chiot me suivit, sans savoir où nous allions. J'attrapai l'un de ses jouets. La carotte en plastique couinant à chaque pression.

Le chiot mort matait la carotte.

— Qu'est-ce que c'est ça ?!

La queue du chiot s'excitait de gauche à droite.

— C'est la carotte ?

Je balançai la carotte à l'autre bout de la chambre.

Deux options s'ouvraient à mon imaginaire :

Le chiot mort fonçait vers la carotte.

Ou, plus subtil, le jeune chiot n'avait pas encore intégré le concept du « va chercher le truc », et restait assis sur ses pattes à nous regarder mollement la carotte et moi.

(J'aimais la deuxième option puisque j'allais moi-même la ramasser.)

Je renvoyai la carotte deux ou trois fois avec enthousiasme en lançant des :

— Va chercher la carotte !

L'employé maigre fit une irruption surprise.

Il resta dubitatif et silencieux, me découvrant seul et nu au milieu de ma chambre, la carotte à la main.

Il devait m'inscrire mentalement en tête de la liste des barjos qui avaient logé dans l'hôtel.

J'allai m'asseoir au bord du lit.

Le chien mort n'existait plus qu'à moitié.

Je lui dis de filer dans sa niche.

Il disparut complètement.

Je me couchai sur le flanc gauche.

Le sommeil arriva, finalement.

17.

Je me réveillai dans la nuit, ou tôt le matin.

Je mis un moment à comprendre que je n'étais plus dans mon lit, mais accroupi à l'autre bout de la chambre devant le sac de croquettes.

Un nouveau craquement déchira le silence.

Je l'identifiai cette fois.

Cela venait de mon appareil digestif.

J'avais faim.

Aliment complet pour chiots.

A la volaille et aux légumes.

Composition : Céréales, viandes et sous-produits animaux (dont volaille 4 % dans les croquettes marron), huiles et graisses (dont huile de poisson 0,2 %, huile de tournesol 0,2 %), sous-produits d'origine végétale (dont pulpe de betterave déshydratée 2 %), extraits de protéines végétales, substances minérales (dont tripolyphosphate de sodium 0,7 %), légumes (dont carottes 4 %, dans les croquettes orange, dont haricots verts 4 % dans les croquettes vertes).

Je n'avais pas l'habitude de manger mieux que ça d'ordinaire.

J'ouvris le sac.

L'odeur chimique qui s'en dégagea inonda la chambre ; je l'oubliai au bout de quelques secondes, sans savoir si elle s'était dissipée ou si je m'y étais habitué.

Je pris une poignée de croquettes.

Quelques marron, orange et vertes.

Tel l'homme accroupi dans sa caverne, je sentis l'aliment nouveau, l'observai sous tous les angles, le reniflai encore, avant de le porter prudemment à ma bouche.

Ça n'avait pas le goût annoncé.

Pas de carotte, de volaille, de graisses connues, d'huiles habituelles.

C'était autre chose.
Des croquettes pour chien.

18.

Rassasié, j'assistai au lever du jour.

De la fenêtre de ma chambre, je pouvais voir un bout de ciel, et la proche façade de l'immeuble en face.

La rue étroite sembla s'allumer aux premiers rayons du soleil.

Nous étions samedi, il ferait beau aujourd'hui.

Je me souvins que mon chiot mort avait rendez-vous pour sa première leçon de dressage avec Max à 11 heures au bois de Vincennes.

Je ne pouvais pas y aller sans chiot.

Mais j'avais payé. Et je n'avais rien d'autre à faire.

La curiosité des hommes est inversement proportionnelle à l'affection qu'ils reçoivent. Et dans mon désert, la participation à une leçon de dressage pour chien, sans chien, pouvait combler un peu de ce vide émotionnel.

Je me peignis avec le peigne du chiot.

Mis quelques croquettes dans ma poche.

Pris la laisse, au cas où l'on me prêterait un autre chien sur place.

Et partis tôt, pour traverser la ville à pied.

19.

J'arrivai avec dix minutes de retard.

Un cercle d'une dizaine d'hommes et autant de chiens s'était formé autour de Max.

Les chiens étaient de races et d'âges différents, femelles et mâles.

Les hommes n'étaient que des hommes, d'une quarantaine d'années.

Max semblait parler depuis un moment, lorsque je rejoignis le groupe.

Il ne s'interrompit pas en me voyant, mais ne me lâcha pas du regard.

— … Un chien qui n'est pas dressé n'est pas un chien… Un maître qui ne dresse pas n'est pas un homme… Un chien est un bon soldat, il n'est heureux que s'il reçoit des ordres… Un chien sans ordre est malheureux, dépressif, suicidaire…

Les hommes remuaient la tête de haut en bas en écoutant Max, qui finit par m'interroger :

— Vous voulez quelque chose ?

Je ne fus pas surpris qu'il ne me reconnaisse pas.

— Oui, je vous ai acheté un chiot il y a quelques jours.

Max baissa le regard en direction de mes pieds, puis revint à ma face.

— Il est où ?

— Il est mort.

— Quoi ?

— Il est mort.

Une rumeur s'éleva de la dizaine d'hommes. Rien des chiens.

— Mais il est mort comment ?

— En sortant de votre magasin, il s'est fait renverser par un bus.

Je ne mentais jamais.

Max remua la tête, mais de gauche à droite cette fois.

— Bah bravo !

— Je suis désolé.

— Et alors qu'est-ce que vous faites là, si vous n'avez plus de chien ?

— J'ai acheté des leçons… Dix leçons de dressage.

— A quoi ça peut vous servir maintenant ?

— Je me disais que… J'aurais pu assister aux leçons.

Max m'observa un moment.

— Mais vous comptez racheter un chien ?

— Non.

— Alors pourquoi vous voulez assister à un de mes cours ?

— Par curiosité.

— Par curiosité !

— Oui.

— Mais c'est pas un cirque ici… Je suis pas un guignol qu'on vient regarder comme au zoo.

Les autres hommes ont ri quand Max a dit ça. Pas les chiens.

— Pas de spectateur… On participe ou on dégage.

L'un des chiens le plus proches de moi s'est mis à tirer sur sa laisse, il sentait les croquettes de mon chiot mort dans ma poche.

Max a demandé au maître de retenir son chien, mais il avait du mal à le contenir. Ça devait être sa première leçon. Max a claqué des doigts comme il l'avait fait dans sa boutique, et tout le monde s'est calmé, les oiseaux ont arrêté de chanter, les enfants se sont assis, et leurs cerfs-volants sont tombés.

Max s'est approché de moi.

— Qu'est-ce que tu as dans ta poche ?

— Des croquettes.

— Montre.

J'ai sorti les croquettes, orange, marron et vertes.

— Pourquoi tu te balades avec ça ?

— Au cas où.

— Au cas où quoi ?

— Au cas où j'aurais faim.

Max a fait quelques pas dans l'autre sens, il s'est éloigné du groupe.

Les hommes tentaient de garder leurs chiens en position assise, certains claquaient des doigts, mais le chien excité par les croquettes avait semé une sorte d'anarchie dans le groupe.

Max revint vers moi.

Il me parla à l'écart des autres. J'aimais cette intimité.

— Tu veux participer au cours ?

— J'aimerais bien.

— Mais je n'aime pas les spectateurs, tu comprends ?

— Oui.

— Je ne veux pas de public.

— D'accord.

— Quand des gens s'arrêtent dans le bois pour nous regarder, ça me donne envie de les frapper.

— Je comprends.

— Même les enfants.

— Mmm.

— Tu veux participer au cours ?

— Oui.

— Qu'est-ce qui dépasse de ta poche ?

Il désignait l'autre poche, un bout de la laisse du chiot mort pendait.

— C'est la laisse du chiot que vous m'avez vendu.

— Pourquoi l'as-tu avec toi ?

— J'ai pensé qu'on me prêterait peut-être un chien ici.

— Personne ne te prêtera de chien.

— D'accord.

— Tu vois un chien sans maître ici ?

Je regardai, même si je connaissais la réponse.

— Non.

— Pourquoi je te laisserais assister à mon cours ?

— J'ai payé.

— Mais tu as payé pour une leçon de dressage pour chien.

— Oui.

— Et ton chien ?

— Il est mort.

— Donc ?

— C'est annulé.

— Ça dépend.

— De quoi ?

— De toi.

— De moi ?

— Oui.

— Pourquoi ?

Max a marqué une pause, il a regardé un peu ailleurs avant de répondre :

— Tu ne peux pas assister à mon cours en tant qu'homme… Il ne manque pas d'homme ici… Chaque chien a son homme… Chaque homme a son chien… sur cette terre… comme ici…

J'essayais de comprendre Max, que je trouvais un peu philosophe pour un dresseur.

— … Tous les hommes ont leur chien… sauf un !

— Lequel ?

— Cherche !

Je regardai le groupe, effectivement, un chien était assis aux pieds de chaque homme, il n'en manquait pas.

Le seul qui n'avait pas de chien était…

— C'est vous Max !

Il a eu l'air de me trouver intelligent.

— Oui, moi.

On a un peu remué la tête de haut en bas, et Max a dit ceci :

— Si tu veux participer à mon cours, tu dois le faire en tant que chien.

— Mais je…

— Quoi ?

— Je suis un homme.

— Tu en es sûr ?

— Je crois.

— Essaie le collier.

— Pardon ?

— Le collier de la laisse… Essaie-le.

J'ai pris mon temps avant de passer le collier autour de mon cou. Les autres nous regardaient. Les chiens aussi.

— Alors ?

— Ça va.

— Il te serre ?

— Un peu.

— Il va se détendre… Nous irons plus tard au magasin en choisir un pour chien adulte… J'ai reçu de nouveaux modèles.

— D'accord.

— Tu veux participer au cours ?

Le collier de la laisse m'étranglait.

— Oui.

20.

Nous avons rejoint le groupe. Max m'a présenté aux autres comme son ami, son meilleur ami. Il me tenait par l'épaule et par la laisse. Il a expliqué que j'allais faire le chien pendant la leçon. Et que les autres n'auraient qu'à observer comme il s'y prenait avec moi pour faire pareil avec leur chien.

Avant de commencer, Max m'a demandé :

— Tu t'appelles comment ?

— Jacques.

— Ce n'est pas vraiment un nom de chien.

— C'est vrai.

— C'est un nom d'homme.

— Oui.

— Certains prénoms d'hommes fonctionnent aussi pour les chiens.

— Mmm.

— Karl… Dick… Hugo… Bob… Joe…

— Mmm.

— Mais Jacques ne fonctionne pas… Quel est ton deuxième prénom ?

— Charles.

— C'était le prénom de mon père !

— Ah oui !

— Je ne peux pas donner à un chien le prénom de mon père.

— Je comprends.

— Nous te trouverons un nom plus tard… Commençons la leçon.

Pendant le cours, Max m'appela Le chien. Puis Chien.

Les premiers exercices étaient assez simples.

Position assise.

Couché.

Debout.

Ensuite, nous devions rester immobiles devant la tentation.

Max défit la laisse de mon collier, puis jeta une balle de tennis à une vingtaine de mètres, en me disant :

— Pas bouger !

Je ne bougeais pas.

— Pas bouger le chien !

J'attendais.

Et puis, avec la même autorité :

— Va chercher la balle !

J'allais chercher la balle, sans courir vraiment mais sans traîner non plus.

Je ramenais la balle à Max, qui me caressait la tête en rattachant mon collier à la laisse.

— Bon chien !

— Mmm.

Les autres chiens étaient beaucoup moins obéissants que moi.

Ils tiraient sur leur laisse, remuaient la tête en sortant la langue, et certains aboyaient même en direction de la balle.

Max nous fit mettre en cercle.

Il demanda à chacun d'asseoir son chien.

Je m'assis le premier.

Max se plaça au centre du cercle pour parler aux hommes.

— Le but est d'arriver au silence… Au silence total… Nous ne sommes pas des vieilles qui parlent à leur chien pour se sentir exister… Un chien n'est pas un copain à qui on raconte ses histoires de bureau… Le but est le silence… Et sans la parole, à quel endroit se trouvera l'autorité entre un maître et son chien ?

Les hommes réfléchissaient, les chiens regardaient ailleurs ou se grattaient.

Je ne savais pas encore où me situer.

Personne ne trouva l'endroit d'autorité.

Max enchaîna.

— Dans le regard… les yeux… Pas la peine d'élever la voix, de parler, de bouger le moindre petit doigt… Un chien dressé est un chien qui obéit à l'œil… Regardez…

Max se tourna vers moi.

Il me fixa.

Au début, je n'arrivais pas à soutenir son regard, je baissais un peu les yeux, cherchant à fuir à gauche ou à droite, mais c'était trop fort, j'étais aimanté, et très vite je le fixai aussi, essayant de deviner ce qu'il voulait me dire.

Il voulait que je me couche sur le dos.

Je m'abaissai en hésitant, comme le débutant croit comprendre une langue étrangère.

Max m'accompagna du regard, il semblait m'encourager dans un plissement de paupières.

Une fois que je fus sur le dos, complètement allongé contre l'herbe fraîche, Max me sourit, puis il s'accroupit près de moi et glissa sa main sous ma nuque.

— C'est bien… C'est bien Chien.

Nous étions heureux.

Les autres applaudirent, et certains chiens encore jeunes et mal éduqués aboyèrent pour répondre au bruit.

21.

Je rentrai tôt à l'hôtel.

J'étais fatigué et j'avais faim.

Je mangeai quelques croquettes. Surtout des vertes, elles me rappelaient les carreaux de la salle de bains chez nous.

Je m'allongeai un peu pour penser à ma femme.

Elle me manquait.

Je me relevai et décidai de faire quelques exercices assis-couché-debout.

J'en exécutai une vingtaine.

J'étais fatigué et j'avais faim.

Je mangeai quelques croquettes.

Je m'allongeai un peu.

Je m'endormis.

Je rêvai des croquettes.

D'une balle de tennis.

De ma femme.
Et qu'on m'étranglait dans mon bain.

22.

Je me suis réveillé alors qu'il faisait encore nuit.

J'attendis que le soleil soit complètement levé et qu'il me semble être 11 heures pour téléphoner chez moi.

Ma femme répondit, je la réveillais.

Je n'osais pas dire :

— C'est moi.

Car je craignais qu'elle réponde :

— Qui ça ?

Alors je dis :

— C'est Jacques.

Et elle comprit.

Elle me demanda comment j'allais.

J'allais bien.

Elle aussi allait bien, et même si ses démangeaisons se calmaient petit à petit, elle était bien atteinte par cette blanchoïte et il faudrait du temps, un temps long et incertain, avant qu'elle soit complètement guérie.

A ce propos, elle me demanda quand je comptais récupérer les quelques affaires personnelles qui restaient chez nous. D'être en contact avec mes effets pouvait lui provoquer des sortes de crises d'urticaire ou d'eczéma.

— Très vite, lui dis-je en contemplant ma chambre d'hôtel et la niche du chien.

Elle voulait raccrocher car elle n'avait pas vu l'heure et avait rendez-vous pour le déjeuner. Elle me félicita d'ailleurs d'avoir appelé, car sans moi elle aurait sûrement raté son rendez-vous. C'est qu'elle s'était couchée très tard.

Je demandai à parler à notre fils.

Elle l'appela au loin en lui disant que son père voulait lui parler.

J'entendis notre fils dire :

— Oh nonnn !

Et ma femme hurler car elle était pressée pour son rendez-vous de déjeuner.

Avant de poser le téléphone, ma femme me dit, presque en chuchotant :

— Je t'embrasse bien fort.

Ma femme avait cette faculté de pouvoir hurler une phrase et chuchoter celle d'après. En y pensant, je n'avais pas souvenir d'un volume normal.

J'attendis dix minutes avant que mon fils prenne le téléphone.

Il parlait mollement, comme quelqu'un qui sort d'une anesthésie générale.

Je lui proposai de le voir dans l'après-midi. Nous pourrions aller nous promener où il voudrait. Dans un parc ou sur les bords de Seine. Aller au cinéma. Manger une glace…

Il voulait retrouver des amis dans un skatepark. Mais il n'avait pas de skate. Il fallait donc que je lui en achète un. Il connaissait un gars sur place qui vendait le sien. Je lui dis que j'étais d'accord et nous nous donnâmes rendez-vous deux heures plus tard.

Avant de raccrocher, mon fils me dit :

— A tout à l'heure papa.

Avec la même voix douce que ma femme lorsqu'elle m'avait dit :

— Je t'embrasse bien fort.

23.

Je ne savais pas combien coûtait un skate-board, mais je pouvais compter sur les goûts de luxe de mon fils. Ma femme lui avait appris à détester les sous-marques.

J'essayais d'économiser pour payer l'hôtel à 69 € la nuit, et de quoi manger un peu en dehors des croquettes.

Je comptais demander un prêt ou un découvert autorisé à monsieur E. Letteret lundi matin.

De quoi voir venir.

J'avais confiance, car tous les hommes après un certain âge ont souffert et se rappellent leurs douleurs passées pour aider leurs frères démunis.

Je mis quelques croquettes dans ma poche et quittai ma chambre.

En traversant le hall de l'hôtel je fus surpris de découvrir un nouvel employé. Celui-là était plus vieux et plus en chair que l'autre, qui ne devait pas travailler le dimanche.

Le nouvel employé me salua à peine, avant de baisser le regard pour vérifier si un chien ne me suivait pas quelque part.

24.

J'arrivai au skatepark en avance.

Plusieurs groupes de jeunes gens étaient réunis ici et là.

Je me demandais lesquels étaient des amis de mon fils.

Les groupes se ressemblaient. Environ six ou sept garçons pour trois ou quatre filles.

Les garçons portaient des vêtements identiques, pantalons larges, chaussures basses, tee-shirt à motifs, et parfois, sweat à capuche.

Ils restaient debout, leur planche sous leurs pieds, ou posée le long de leurs jambes.

Les filles étaient habillées de la même façon, et restaient assises sur les marches en béton, à parler entre elles.

Parfois, un garçon quittait le groupe en lançant sa planche contre l'asphalte. Il sautait sur son skate, prenait de la vitesse et exécutait une sorte de figure bizarre.

Puis il revenait vers son groupe, la discussion reprenait, et un autre gars s'élançait à son tour.

Cela me fit penser à une plage, où les jeunes gens iraient parfois se rafraîchir.

A un certain moment, le petit groupe de filles assises a regardé dans ma direction. L'une d'elles a pointé son doigt vers moi en parlant aux garçons.

Ces derniers ont lancé leur planche pour venir me rejoindre.

Il y a toujours un chef. Celui de ce groupe devait avoir quatorze ans, il était plus grand et plus maigre que ses copains.

Avant de me parler, il s'est retourné vers les filles assises.

Il a gueulé :

— C'est lui ?

Et les filles ont répondu :

— Ouais !

Le chef s'est rapproché de moi.

— Pourquoi vous matez les filles comme ça ?

— Pardon ?

— Les filles là-bas… Elles vous plaisent ?

— Non.

— Pourquoi vous les matez alors ?

— Je les mate pas !

— Qu'est-ce que vous foutez ici alors ?

— J'attends mon fils.

Un autre a dit :

— Le gros menteur !

Et le chef :

— C'est qui votre fils ?

— Il s'appelle Victor.

— Victor comment ?

— Victor Blanchot.

Le chef a répété niaisement :

— « Victor Blanchot » !

— Oui.

— Je connais pas.

— Il m'a donné rendez-vous, je dois lui acheter un skate.

C'est le moment où mon fils est arrivé. Il a fait une drôle de tête en me voyant parler avec le gars.

— Bonjour Victor !

— Qu'est-ce tu fais là ?

J'essayai de détendre l'atmosphère.

— Je parle avec ces jeunes.

L'une des filles assises a gueulé à ses copains :

— Alors, c'est un pédophile ou quoi ?

Et le chef a dit à mon fils :

— Faut pas que ton père mate les filles comme ça !

J'ai dit à mon fils :

— Je regarde pas les filles, je regarde… les gens.

Il valait mieux partir au plus vite. J'ai voulu entraîner mon fils ailleurs, mais il m'a dit :

— C'est à lui que je veux acheter mon skate.

Il parlait du chef de la bande qui avait oublié mon fils rencontré une semaine plus tôt.

— Ah ouais, c'est vrai…

J'ai demandé au chef :

— Alors, combien tu le vends, ce skate ?

— Ben je sais pas trop si j'ai envie de vendre mon board à un vieux qui mate mes copines de treize ans !

— Ecoute, je t'ai déjà dit que je ne regarde pas tes copines, je suis là pour acheter un skate à mon fils.

Le chef a réfléchi.

— Bon… 300 !

Je n'y connaissais rien mais je savais que le prix était largement au-dessus de la moyenne.

Et aussi que 300 € représentaient quasiment quatre nuits d'hôtel.

— 300!... Je crois que tu te moques de moi.

— Moi je crois pas!

— J'ai vu des planches à moins de 50 € dans un magasin.

— Ben vous avez qu'à offrir cette merde à votre fils si vous l'aimez pas... Votre skate, c'est juste un morceau de bois avec quatre roues en plastique.

— Pourquoi le tien coûte si cher?

D'un mouvement de pied, il a fait remonter son skate entre ses mains.

J'ai regardé mon fils, qui était impressionné.

Je l'étais aussi.

Le chef a continué :

— C'est un board Nozbone, avec des roulements Bones Swiss Ceramics... Et le plus important : c'est mon board!

Mon fils et moi n'avions rien compris, mais nous faisions partie de cette catégorie qui ne demandent jamais trop d'explications.

— Ecoute, je t'en donne la moitié, 150 €, c'est déjà une grosse somme.

— Vous vous croyez à la brocante? C'est 300 €... Avec ça, votre fils va tout casser ici!

On n'était peut-être pas à la brocante, mais ce garçon en avait le langage et les manières.

Je me suis retourné vers mon fils, il ne quittait pas le skate des yeux.

— Il te plaît vraiment ce skate, Victor ?

Il a fait oui de la tête.

J'ai sorti les billets pour les donner au chef.

— A ce prix-là, tu pourras peut-être montrer quelques trucs à mon fils.

— Et puis quoi encore, j'suis pas prof !

25.

Mon fils voulait tout de suite essayer son skate, mais il tenait à ce que l'on se mette à l'écart des autres.

Nous avons trouvé un coin caché par les arbres à l'extérieur du skatepark. Une petite place plane et bétonnée où il pouvait s'entraîner.

Je m'assis sur un muret pour le regarder.

Il avait du mal à tenir en équilibre plus de deux mètres sur sa planche.

Je l'applaudissais.

Il disait :

— Arrête !

Quelques années plus tôt, je lui avais appris à faire du vélo. Nous allions chaque week-end dans un square près de la maison porte d'Ivry.

Lorsque j'avais enlevé les deux petites roues à l'arrière, mon fils m'avait pris pour un traître.

— Je vais tomber !

— Mais non, tu y arriveras.

Ce fut la seule fois où je pus vraiment le rassurer, et il me crut assez pour remonter sur son vélo.

Au début, je l'aidais à démarrer, puis je tenais son guidon droit sur des centaines de mètres, tandis qu'il pédalait avec la maladresse d'un oisillon.

Il comprit comment se diriger.

Alors je gardais ma main sur son épaule pour qu'il ne tombe pas.

Je courais près de lui, pendant que, plein d'assurance, il roulait de plus en plus vite.

Parfois je devais ouvrir ma main sur sa nuque et, d'une légère pression, l'inciter à aller un peu plus à gauche ou à droite.

Je pouvais le toucher sans gêne. Sans peur de le contaminer.

Je le touchais pour le protéger.

D'autres gamins ont débarqué sur notre aire secrète.

En les voyant balancer leurs planches et sauter dessus, mon fils a immédiatement ramassé la sienne pour venir s'asseoir à côté de moi.

On les a regardés faire leurs figures bizarres.

— Pourquoi tu ne vas pas avec eux, tu pourrais apprendre ?

— J'ai pas envie.

On est restés un long moment assis, j'ai failli m'endormir.

Mon fils a dit :

— C'est un kickflip.

— De quoi ?

— Ce qu'ils font, c'est des kickflips.

— C'est dur ?

— J'en sais rien.

Mon fils s'est levé d'un coup et s'est éloigné en balançant son skate contre un trottoir un peu plus loin.

— Qu'est-ce tu fais ?

— Je rentre, c'est nul le skate !

J'ai pensé : 300 €…

Et j'ai ramassé le skate en le suivant dans la rue.

26.

En arrivant à la maison, mon fils est immédiatement monté dans sa chambre.

J'entendais ma femme dans la cuisine. Je ne savais pas si je pouvais la retrouver pour lui dire bonjour, ou si je devais lui parler de loin et la voir à distance.

Dans le salon, la table du dîner était déjà dressée, avec trois couverts. N'importe qui aurait pensé qu'il était la troisième personne. L'invité. Mais cette idée ne m'a même pas traversé l'esprit. Les trois couverts étaient pour ma femme, mon fils et un troisième convive que je ne connaissais pas.

La maison était belle et douce. Les lumières allumées ici et là relaieraient bientôt celle du jour pour nous rassurer lorsque la nuit tomberait sur le monde. Ça sentait bon le poulet cuit. Comme tous les dimanches soir. Et mon absence ne semblait en rien avoir changé cette habitude.

Le dimanche soir était le moment le plus important de la semaine pour ma femme. Elle avait été élevée dans un pensionnat, et le dimanche marquait la fin du week-end chez ses parents et la séparation bimensuelle avec ses amis.

Alors depuis qu'elle était devenue mère, le dimanche soir était un rituel de représentation, où nous devions ranger la maison, nous laver, allumer les lumières, mettre une belle table, ouvrir une bouteille de vin et faire cuire un poulet fermier.

Ensuite à table, nous faisions semblant de discuter et de nous intéresser les uns aux autres.

Puis mon fils remontait s'enfermer dans sa chambre, je débarrassais et faisais la vaisselle, pendant que ma femme restait effondrée sur le canapé, lieu de rendez-vous habituel avec sa crise de mélancolie hebdomadaire.

Lorsque je passais devant elle, des assiettes ou la carcasse du poulet à la main, je lui lançais :

— Ça va ?

Ce à quoi elle répondait :

— Ça va passer.

Et cela passait chaque fois au moment précis où je terminais de ranger.

Nous allions nous coucher, et de son côté du lit, je l'entendais s'endormir dans un soupir accompagné du :

— C'est comme ça !

Qui signifiait qu'elle avait grandi dans une profonde souffrance, mais qu'elle s'en était sortie et pardonnait au monde entier pour cette injustice.

Ma femme m'appela, son volume était fort mais joyeux :

— Jacques, viens, je suis dans la cuisine !

Je traversai le salon pour la rejoindre.

J'étais ému.

27.

Elle s'activait entre la cuisson du poulet, des tomates à couper et l'ouverture d'une bouteille de vin.

Elle m'a tendu la bouteille.

— Tu peux m'aider s'il te plaît ?

J'ai enfoncé la pointe dans le bouchon et j'ai tourné.

Ma femme était belle, maquillée mais pas trop, comme elle savait le faire. Ses cheveux étaient joliment attachés à l'arrière. Elle portait un ensemble noir que je ne connaissais pas.

Pendant que j'ouvrais la bouteille, j'ai regardé le poulet cuire dans le four encastré à ma hauteur et évalué son poids. Il devait peser dans les deux kilos cinq minimum, c'était un beau poulet, et je ne me rappelais pas en avoir vu de plus gros dorer ici.

Le bouchon a cédé, j'ai posé la bouteille sur le plan de travail.

Ma femme m'a jeté un coup d'œil entre deux tranches de tomates.

— Comment vas-tu ?

— Bien.

Je me suis un peu appuyé contre le frigidaire, pour ne pas avoir l'air de rester planté devant elle, et pour montrer que l'endroit m'était encore familier.

— Je suis en retard, tu sais l'heure qu'il est ?

J'ai regardé sur le micro-ondes.

— 18 h 57.

— Je suis en retard.

J'avais faim.

Je voulais ouvrir la porte du frigo pour manger quelque chose. Un morceau de fromage ou un reste de n'importe quoi.

Je voulais aussi embrasser ma femme.

L'embrasser sur la bouche.

Je me suis dégagé du frigidaire pour faire un pas vers elle.

Elle s'est gratté l'épaule avec le menton car ses mains étaient occupées avec les tomates.

— Je vais y aller.

— Tu as eu le banquier au téléphone ?

— Oui, je le vois demain matin.

— Très bien.

Je me suis retourné pour partir.

— Attends, Jacques.

— Oui.

— Tu veux bien déposer la bouteille de vin sur la table en partant ?

Dans le salon, j'ai posé la bouteille au centre de la table, là où je la déposais avant.

28.

A l'hôtel, je voulais manger mes croquettes dans une assiette, mais je n'osais pas en demander à la réception.

Je pris le verre au-dessus du lavabo et le remplis à ras bord.

Je décidai de prendre un bain.

J'ouvris les robinets d'eau et remplis la baignoire à moitié.

En attendant, je me déshabillai et fis quelques exercices assis-couché-debout.

Une fois dans mon bain, j'attrapai le verre mais il glissa et les croquettes s'éparpillèrent partout dans la flotte.

On aurait dit un aquarium, avec les petits cailloux multicolores et le poisson trop grand pour son bocal.

Le téléphone a sonné, je me suis précipité hors de l'eau. En courant vers le téléphone, j'ai pensé qu'il devait s'agir de ma femme.

— Jacques, pourquoi es-tu parti ? J'avais préparé ce dîner pour toi, pour nous, j'ai choisi le plus gros poulet, nous sommes à table avec Victor, nous t'attendons pour commencer.

Cela pouvait aussi être mon fils.

— Je voulais te remercier pour cette journée papa, j'aime passer du temps avec toi, je voudrais que tu m'apprennes à pêcher.

J'ai décroché le combiné.

— Monsieur Blanchot, c'est la réception, il y a une note ici qui indique que vous avez passé trois nuits dans l'hôtel, et sous la note il y a un point d'interrogation, quand mon collègue me laisse ce genre de note avec le point d'interrogation, cela signifie que la direction veut savoir combien de temps vous comptez rester et aussi à quel moment vous allez payer ?

Pendant que l'employé parlait, la réalité se remettait en place dans mon esprit. Ni ma femme, ni mon fils ne savaient où j'étais, et j'avais plus de chance qu'ils me retrouvent à l'hôpital ou en prison qu'ici.

— Je pense rester encore un peu... Je vous payerai demain soir.

L'employé n'a rien dit, je ne savais pas s'il était encore à l'autre bout.

— Allô ?

— Monsieur Blanchot, il y a autre chose sur la note, une sorte de motif que je ne comprends pas.

— Qu'est-ce que c'est ?

— On dirait... Un animal... Comme un ours... Ou peut-être un lapin... Ou un chien... Oui peut-être un chien, entouré d'un cercle et rayé en diagonale... Vous comprenez ce signe, monsieur Blanchot ?

— Non.

J'ai raccroché.

Des croquettes étaient restées collées à ma peau. J'en mangeai quelques-unes et allai me coucher.

29.

Je me réveillai au milieu de la nuit.

Je n'étais plus dans mon lit mais couché à même le sol.

Etait-ce la chute qui m'avait réveillé, ou bien avais-je chuté parce que je me réveillais ?

Je n'avais aucune idée de l'heure.

J'essayai d'allumer la télévision.

Pas une chaîne ne marchait, ce n'était que neige et neige.

J'étais fatigué mais j'avais peur de me rendormir si le jour se levait bientôt.

J'aurais pu appeler la réception, mais je ne voulais pas réveiller l'employé s'il dormait lui-même.

Je décidai de m'habiller et d'aller faire un tour dans la ville.

Dans le hall, le nouvel employé regardait des clips des années 80 sur son ordinateur.

Je lui demandai l'heure, il m'indiqua du menton une horloge fixée au mur au-dessus des ascenseurs.

3 h 54.

J'avais rendez-vous à la banque à 8 heures.

Largement le temps de me recoucher mais je n'étais plus fatigué.

Je demandai au réceptionniste comment faire marcher ma télé.

D'un bruit de bouche distingué, il me répondit qu'il n'en savait rien.

J'allai dehors.

30.

J'arrivai devant chez moi une demi-heure plus tard.

Je n'avais pas choisi cette destination, mais la plupart de mes membres étaient mystérieusement connectés à mon inconscient et aux désirs que je ne m'avouais pas.

J'avais toujours la clé de la maison.

J'entrai doucement.

Je trouvai facilement une raison à ma présence si ma femme me surprenait :

— Je suis venu chercher mes affaires comme tu me l'as demandé.

— A cette heure ?

— Je travaille la journée, et je refuse que tu te grattes à cause de moi.

Dans le salon, la table n'était pas débarrassée. La carcasse du poulet trônait près de la bouteille de vin vide aux trois quarts. A l'intérieur des trois assiettes restaient des lambeaux de peau, la pulpe des tomates, des croûtes de fromage. Tout cela allait doucement sécher dans la nuit, et la vaisselle serait d'autant plus difficile à faire le lendemain.

J'avançais lentement dans la pénombre, j'avais beau très bien connaître les lieux, ma vue était plus claire cette nuit.

Notre chambre donnait sur le salon au rez-de-chaussée. Je saisis la poignée comme la main d'un nouveau-né et entrouvris la porte.

Ma femme dormait à sa place, mais dans une position différente de celle que je lui connaissais, elle était encastrée comme une pièce de puzzle dans un autre corps en face d'elle. Un corps d'homme qui était à ma place, et qui occupait même un peu plus de terrain, puisqu'il devait faire le double du mien.

Ils avaient chacun un bras sous la nuque de l'autre, et les seconds bras croisés au niveau de la taille.

Je ne pus voir comment cela se passait pour leurs jambes car la couette les couvrait, hormis l'une des jambes massive et musclée de l'homme qui devait avoir chaud et dépassait de mon côté du lit.

Je refermai la porte.

En repartant dans le salon, je butai sur une chaussure. Une gigantesque chaussure de sport rouge et de marque Puma.

Je la ramassai et la sentis.

Elle n'avait pas d'odeur particulière, pourtant la chaussure était usée, et si j'avais moi-même possédé une chaussure de sport, elle aurait dégagé une odeur infecte au bout de deux heures.

Je regardai la taille.

47.

Et reposai la pompe à sa place.

Je montai dans la chambre de mon fils qui se trouvait à l'étage.

Cela faisait longtemps que je n'avais pas effectué ce trajet de nuit, depuis qu'il était petit enfant, lorsque j'allais en douce le regarder dormir.

J'entrai dans sa chambre avec moins de précautions. Il dormait toujours profondément, et s'il se réveillait, je lui dirais que nous nous étions remis ensemble sa mère et moi. Le lendemain, il en parlerait à sa mère qui lui répondrait qu'il avait dû faire un mauvais rêve.

Je m'assis sur la table de nuit qui avait remplacé sa malle de jouets. Il y avait encore une odeur d'enfant qui flottait ici. Ce n'était plus vraiment la sienne, mais celle d'hier, trop récente pour s'être complètement dissipée. Le sommeil de mon fils avait toujours représenté la paix du monde à mes yeux. Je ne résistais jamais à synchroniser ma respiration à la sienne, comme les militaires marchent au pas. Ses nuits étaient des sortes de spectacles, minimalistes ou grandioses, et j'aimais en être l'unique témoin. Les représentations étaient chaque fois différentes. J'y guettais le moindre rebondissement. Un battement de paupières. Une expiration. Un râle. Ou comme cette nuit particulière et miraculeuse, pendant laquelle mon fils fut pris de fous rires à répétition.

Le soleil couché, la chambre de mon garçon se transformait en machine à voyager dans le temps. Il était l'aventurier, revenant parfois de terres lointaines, avec ses petits bruits, ses mouvements en offrande.

Mon fils dégagea la couette avec ses pieds et laissa une jambe s'en échapper comme l'homme qui dormait à ma place, encastré dans ma femme.

Je remis doucement la couette pour qu'elle ne tombe pas.

Mon fils ouvrit les yeux.

Je lui souris.

— Qu'est-ce tu fous ?

— Je remonte ta couette.

— J'ai chaud, putain !

— Excuse-moi.

Il bâilla, encore perdu entre ses deux mondes.

— Il est quelle heure ?

— Je ne sais pas, 5 heures du matin.
— Qu'est-ce tu fous là ?
— Rien.
— Si maman te voit, elle va te tuer !
— Je sais.
Il a encore bâillé.
— Je suis crevé.
Et fermé les yeux.
— Tu sais Victor, peut-être qu'on ne va plus se voir… C'est de la faute de personne, ni celle de ta mère, ni la mienne, et surtout pas la tienne… C'est la vie qui décide… Je crois que ce monde s'effondre autour de moi… Chaque homme gravit la côte de son propre volcan, une pente de plus en plus raide… Et je sens la chaleur sous mes pieds, et je sais que mon volcan va bientôt exploser… Je dois courir maintenant, dévaler cette pente et ne plus…
— Je suis naze, putain !
— Excuse-moi.
— Laisse-moi dormir maintenant !
Il s'est retourné de l'autre côté du lit.
Je me suis levé et j'ai traversé la chambre pour sortir.
— Papa ?
Je me suis retourné vers mon fils.
— Oui ?
— La porte.
J'ai fermé la porte sans bruit.

Je me suis assis sur le canapé, comme avant, lorsque je venais de rendre une visite nocturne à mon fils.

Je restai là à attendre que le jour se lève et le moment de partir au travail.

J'avais imaginé beaucoup de choses à cette place, notamment le jour où ma femme vivrait avec un autre homme.

Je me levai et commençai à débarrasser la table.

J'exécutais les gestes au ralenti pour ne réveiller personne.

Je pris les assiettes et la carcasse du poulet au premier voyage. Puis les verres, les couverts et la bouteille de vin.

Le plateau de fromages, la carafe d'eau et les peaux de clémentines qui traînaient ici et là.

Je revins ensuite avec une éponge et un torchon.

J'enlevai la nappe que je comptais secouer plus tard, puis je passai un coup d'éponge sur la table en frottant comme il faut, avant de finir par un coup de torchon.

Dans la cuisine, je laissai couler un filet d'eau tiède et récurai les assiettes, les couverts et les verres.

Je rangeai tout à sa place dans les placards.

J'ouvris un sac-poubelle dans lequel je glissai la carcasse du poulet, et en profitai au passage pour manger quelques morceaux restés collés à l'os.

Je lavai le plat, l'essuyai et le rangeai avec ses frères dans son placard.

Je finis d'une traite le quart de vin restant dans la bouteille.

J'ouvris la fenêtre de la cuisine, et secouai la nappe méthodiquement, avec une cadence régulière.

Je pliai la nappe et la rangeai avec ses sœurs dans le tiroir près du lave-linge.

Je pris le sac-poubelle, la bouteille vide et quittai la cuisine.

Avant de sortir de la maison, je me retournai.

Une pensée m'assaillit, une pensée qui ne semblait pas sortir de moi, mais d'un autre corps, invisible, et d'ailleurs, j'eus l'impression de ne faire que répéter ce que me soufflait cette voix terrifiante :

— Tu seras mort la prochaine fois que tu viendras ici.

31.

E. Letteret portait une chemisette de couleur qui annonçait le printemps. Cette saison représentait, pour lui, le moment où les gens ne sont plus protégés par l'hiver, et les lois sur l'hébergement.

Dans la banque qui l'employait, il s'était fait une spécialité de l'immobilier. Crédit. Achat. Assurance… Et le grand froid passé, il récupérait toutes sortes de biens, vidés par des gens endettés que l'Etat avait foutus dehors.

Ce fut le cas de la maison que nous avions achetée ma femme et moi.

Lors de la première visite, la famille expulsée y vivait encore.

Nous étions à la fin du mois de février, et leur départ était programmé pour le mois suivant.

J'avais discuté avec le père de cette famille dans la cuisine, pendant que ma femme visitait l'étage.

— La maison vous plaît ?

— Je sais pas trop, c'est surtout ma femme qui peut dire.

— On a vécu huit ans ici, nos deux derniers y sont nés.

Le couple avait quatre enfants, nous les avions vus en arrivant, assis les uns à côté des autres sur le canapé.

Ils nous avaient dit bonjour après que leur père leur avait demandé de le faire.

— C'est une bonne maison… Bien construite… Calme… Et le quartier est agréable.

L'homme était appuyé contre le plan de travail, je remarquai que l'on avait récemment vidé la cuisine de son équipement électroménager. Des fils et des tuyaux de raccordement pendaient partout et les traces de déplacement sur le sol carrelé n'avaient pas encore été nettoyées.

— On serait bien restés si on avait pu… Je n'ai pas payé le loyer depuis un an… J'ai été licencié, je pensais trouver une autre place mais…

Il a levé ses bras pour les laisser retomber immédiatement.

— Et vous allez vivre où ?

— Chez mon frère, près de Lille.

Ma femme est arrivée. Elle faisait semblant de se désintéresser de la maison, mais son regard de folle la trahissait légèrement.

— Tu viens deux minutes ?

Je l'ai suivie dans la salle de bains.

— Qu'est-ce t'en penses ?

Je ne savais pas trop quoi dire, j'étais heureux porte d'Ivry.

— Et toi ?

— C'est bien, c'est très bien même… Bon, il y a quelques travaux à prévoir, mais dans l'ensemble c'est très bien, très très bien même, et encore, je pense qu'après un bon ménage, on y verra plus clair… Les sols sont couverts de traces, je ne sais pas ce qui s'est passé, les gens sont dégueulasses.

— Je pense que les huissiers ont viré leurs meubles.

— Peut-être, en tout cas, il ne faut pas leur montrer que la maison nous plaît.

— Qu'est-ce que ça peut leur faire, ils ne sont pas propriétaires, c'est la famille qui est expulsée !

— On sait jamais.

Ma femme a levé la tête.

— Elle est triste cette salle de bains, il faudrait des carreaux, hein, des beaux carreaux.

J'ai dit oui.

Nous sommes sortis et nous avons fini la visite en faisant semblant de trouver l'ensemble moyen devant la famille assise sur le canapé.

32.

E. Letteret recherchait mes différents dossiers sur son ordinateur, parfois, il levait la tête vers moi et me souriait en disant :

— C'était plus facile avant les ordinateurs !

Nous savions lui et moi qu'il ne croyait pas un mot de ce qu'il disait.

Mes dossiers retrouvés, nous ne nous en sommes pas servis, car il connaissait parfaitement ma situation, et nous n'étions pas là pour trouver des solutions ou parler d'avenir, mais voir comment enterrer le passé et bloquer le présent.

— Votre femme nous a prévenus de votre séparation, et croyez-moi, j'en suis tout à fait désolé…

Je ne le croyais pas.

— Vous payez actuellement des mensualités de 850 € par mois sur un crédit de 30 années à un taux de 7 % pour un bien dont votre part d'emprunt est de 225 000 €… C'est bien ça ?

— Oui.

— Le problème c'est que votre femme s'était portée garante pour votre crédit, et elle s'est désolidarisée.

— Et alors ?

— Alors vous n avez plus de garant.

— Et c'est grave ?

— C'est-à-dire que sans garant, vous n'êtes pas censé avoir ce prêt.

— Mais garant ou pas, c'est toujours moi qui ai payé… J'ai toujours payé.

— Evidemment monsieur Blanchot, mais si vous ne pouviez plus… J'imagine qu'avec cette séparation vous allez devoir trouver un appartement, et un deuxième loyer va s'inscrire à vos charges.

— Mais je crois que ma femme ne vous a pas tout dit, en fait elle souffre d'une maladie de peau très rare, et dès qu'elle sera guérie, je pense retourner vivre chez moi.

— Mais en attendant ?

— Je vais me débrouiller.

— On ne sait jamais combien de temps dure une maladie, surtout si elle est rare… Et j'ai cru comprendre, si je peux me permettre, que votre femme se désolidarisait, qu'elle reprenait sa liberté en quelque sorte… Si vous me permettez.

J'essayais de dire le mot *désolidarisait* dans ma tête et je comptais le nombre de lettres qu'il comporte.

— Qu'est-ce qu'il faut que je fasse ?

— Connaissez-vous quelqu'un d'autre qui pourrait se porter garant ?

Je n'avais pas besoin de réfléchir.

— Non.

— Je crois, monsieur Blanchot, que vous devriez avoir une discussion avec votre femme au sujet de votre part dans l'achat de cette maison.

— Sûrement.

— Elle voudra peut-être vous la racheter.

— Je ne sais pas.

Le mot *désolidarisait* comporte 14 lettres.

— J'ai cru comprendre, si je peux me permettre, qu'elle comptait le faire, du moins pour une partie.

Je ne suivais pas vraiment la discussion, alors je répétai ses derniers mots :

— Une partie ?

— Oui… j'ai cru comprendre que votre femme aurait la garde de votre fils… Victor, c'est bien ça… Donc, cela va vous obliger à verser une pension mensuelle… Approximativement 400 € par mois.

— 400 € par mois.

— Oui… Vous avez actuellement un revenu de 1750 € brut par mois, si l'on déduit un loyer de 850 €, une pension de 400 € environ, des frais classiques de téléphone, électricité, nourriture, vie quotidienne… Vous allez très vite vous retrouver débiteur, et cela va s'amplifier au fil des mois…Vous ne possédez pas de bien personnel j'imagine ?

— J'imagine.

J'étais lobotomisé.

— Oui, des objets de valeur, que vous auriez gardés en cas de mauvaise passe.

— J'ai une niche.

— Pardon ?

— Je possède une niche.

— Quel type de niche ?

— Une niche de chien.

— D'accord… Mais c'est une niche de valeur ?

— C'est une niche en mousse.

Il n'a rien dit pendant un moment.

— Je pense que vous devriez avoir une discussion avec votre femme, essayer de mettre les choses un peu à plat, et je vous propose que l'on se revoie lundi prochain à la même heure.

— A la même heure.

33.

En arrivant au travail, mon patron se précipita pour m'emmener dans l'ancienne remise de matériel où se trouvait désormais l'ordinateur et, depuis ce matin, derrière l'ordinateur, Michael, le jeune prodige numérique, neveu de sa femme, fraîchement débarqué de son université américaine.

— Jacques, je te présente Michael, le petit génie.

Je serrai sa main géniale.

Mon patron continua :

— Michael, voici Jacques, l'employé dont je t'ai parlé.

Il serra ma main normale.

— Michael a déjà beaucoup d'idées pour la société, et il arrive avec une centaine de contacts liés à sa formation américaine…

Le savant enchaîna :

— Oui, c'est la chance de ces grandes écoles, se créer des réseaux, et il est dans l'intérêt de chacun de « garder » une sorte de bon rapport, puisque nous serons certainement amenés à travailler ensemble les uns les autres, à travers nos différents secteurs… J'ai beaucoup d'amis dans la publicité, l'infographie, la mode, l'audiovisuel…

Je me demandais vraiment ce que ce type venait foutre chez *Graf-Art*.

— Et vous ?... Quelle a été votre formation ?
— Les Beaux-Arts.
Mon patron avait de l'enthousiasme pour les autres, et pour ce qui vous était arrivé de bien dans la vie.
— J'ai connu Jacques quand il était étudiant, il a terminé premier prix !... Le prix... Comment déjà, Jacques ?
— D'excellence.
Michael faisait semblant d'être impressionné.
— Whaou... C'est de la peinture ?
— Oui.
— J'aimerais bien voir vos toiles.
— Je n'en ai pas.
— Ah... Elles sont exposées quelque part ?
J'ai pensé : oui, au *Mémorial Jacques Blanchot.*
— Non, je n'ai pas de toiles, je n'ai plus jamais peint après mes études.
— C'est dommage, pourquoi ?
— Parce que je suis venu travailler ici comme vendeur.

34.

J'avais commencé à travailler chez *Graf-Art* au milieu de ma première année d'études. Les affaires marchaient bien, d'autant que le magasin se trouvait à une centaine de mètres des Beaux-Arts.

Mon patron avait engagé trois étudiants comme moi pour conseiller ses clients. C'était malin, puisqu'il nous payait au lance-pierre, pouvait régulièrement rafraîchir son personnel, et que nous avions une certaine connaissance du matériel, étant donné que c'était celui que mon patron fournissait à notre école et dont nous nous servions toute la journée.

Le véritable virage durant cette période (si l'on écoute ceux qui se représentent la vie comme une trajectoire et qui utilisent toutes sortes de métaphores automobiles et routières pour en parler) se produisit à la fin de cette première année d'études.

J'étais, du point de vue de mes professeurs, et de l'ensemble des autres élèves, celui qui avait le plus de technique. J'entends par technique, et au-delà de l'utilisation des couleurs, pigments, dégradés, composition, perspectives, utilisation d'huiles, acrylique, pastel… j'étais celui qui pouvait le plus facilement reproduire ce qu'on lui présentait, exécuter à la perfection n'importe quel portrait d'après modèle, paysage en extérieur ou photographie. J'étais, à la fin de ma première année, une sorte de photocopieuse, incapable de la moindre imagination, et oubliant lors de mes calques d'y apporter la plus petite émotion.

Tout ce qui passait par mon pinceau devenait nature morte, et même le fruit le plus jeune pourrissait sur ma toile.

Alors que les autres voyaient dans ce linon blanc le miroir de leurs âmes torturées, je n'y trouvais que du vide, et le besoin d'y peindre un visage sans expression particulière, une nature sans mélancolie ni mouvement.

Les autres cherchaient à faire de leurs vies de l'art, et je ne voulais peindre qu'une pomme qui aurait l'air d'une pomme.

Une fois mes cours terminés, je ne pensais plus à la peinture en tant qu'art, mais en espèce de matière que je pouvais au mieux conseiller aux clients de *Graf-Art*.

Le professeur qui tournait autour de nos châssis pendant les leçons venait souvent me chuchoter à l'oreille :

— La personnalité, Blanchot… Où se cache votre personnalité ?

J'avais cherché un peu partout, de mon plus petit orteil, à la pointe du cheveu le plus haut dressé au sommet de mon crâne, je ne l'avais pas débusquée.

J'étais né sans.

Comme certains viennent au monde sans jambes ou sans bras, il me manquait cette fonction, empreinte digitale de l'âme, qui aurait pu me faire voir dans cette pomme, une femme.

35.

Mon patron nous laissa en tête à tête Michael et moi.

Le jeune diplômé passa la matinée devant l'ordinateur à mettre à jour et à perfectionner le nouveau site *Graf-Art*, qui désormais s'appelait *Graf X Art*.

Parfois, Michael répondait à des appels téléphoniques sur son portable, ou en passait lui-même.

Il décrochait en disant :

— Yes !

Mais continuait ensuite la discussion en français.

Toutes ces conversations paraissaient merveilleusement sympathiques, pleines d'amitié, de rendez-vous et de splendides discussions à venir.

Lorsque Michael raccrochait, son dernier sourire restait encore quelques secondes accroché à son visage, puis disparaissait comme la buée sur un miroir.

Pour ma part, j'occupai la matinée à effectuer un faux inventaire du peu de matériel qui nous restait.

Sur un bloc de papier je notai :

Pinceaux larges n° 8 : 2
Pinceaux moyens n° 7 : 1
Brosses à peinture : 1

Couteaux : 2
Toiles 50 × 60 : 1

Ensuite je vérifiai mes comptes et recommençai :
Pinceaux larges n° 8 : 2
Pinceaux moyens n° 7 : 1
Brosses à peinture : 1
Couteaux : 2
Toiles 50 × 60 : 1

Comme il était encore tôt, que mon inventaire bidon était terminé, et que Michael semblait se tuer à la tâche et adorer ça, je décidai de faire un inventaire des choses que nous n'avions pas.

Je repris à zéro, me plaçant devant un mur vide, ou une étagère déserte.

— Alors…

Je commençai :
Peinture acrylique Noir Ivoire : 0
Peinture acrylique Noir mat : 0
Peinture acrylique Noir opaque : 0

Je notai ainsi une centaine de références de peintures que nous n'avions pas et que nous ne vendrions plus jamais.

A la fin de la matinée, j'avais réussi à noircir chaque feuille de mon carnet de milliers de références, de couleurs, d'accessoires et de matériel correspondant à toutes les techniques connues de la Renaissance au vingtième siècle.

36.

A midi pile, mon patron emmena son neveu déjeuner.

Je me retrouvai seul dans la remise, la faim au ventre et l'ordinateur allumé.

Je voulais faire quelques recherches sur Internet, mais je n'osais pas toucher au dossier en cours sur l'écran. Celui-ci portait le titre : *Fichier Nouveaux Clients*.

Avec des listes de noms, prénoms, professions, adresses mail, numéros de téléphone.

Je lus la liste en entier, je ne connaissais pas un seul nom.

J'essayai de me souvenir des noms des anciens clients, ceux qui venaient autrefois acheter le matériel de mon inventaire rêvé.

Je ne me rappelais aucun nom non plus.

Je me connectai à Internet et repris mes recherches habituelles :

Chiot moche et mort.

J'espérais retrouver une trace de mon petit chiot écrasé sur la chaussée.

Après tout, Internet était rempli à ras bord d'informations étranges, et si nous pouvions trouver des gens enduits de boue qui buvaient de l'urine sous de la musique techno, je pouvais bien, à ma petite échelle, avoir des nouvelles de mon chien décédé.

Peut-être qu'un employé de la voirie, après avoir décollé le chiot du bitume, avait eu envie de partager son histoire sur le Web.

Aucun résultat.

Des chiots.

Des morts.

Des chiots morts.

Mais pas le mien.

J'essayais d'imaginer comment l'employé de la voirie aurait rapporté son histoire.

J'entrai :

Chiot, mort, écrasé, Hitler.

Désormais la plupart des images étaient en noir et blanc et montraient des photos d'Hitler avec son berger allemand.

J'affinai ma recherche :

Chiot, mort, écrasé, Hitler, 2014.

Les images redevenaient en couleur, mais elles ne montraient qu'une bande de débiles habillés en nazis et posant avec leur chien, ou d'autres débiles qui avaient déguisé leur chien en Hitler.

Je passai à autre chose.

Chaussures de sport Puma.

Je cherchais dans ces images la même chaussure rouge que celle que j'avais tenue entre mes mains plus tôt dans la nuit.

Elle finit par apparaître.

Un frisson traversa mon cœur.

Je restai un moment devant la pompe sur l'écran.

Je tapai autre chose.

Bel homme avec chaussure rouge Puma.

Je passai l'heure du déjeuner devant des images de sportifs, d'athlètes, dans des stades, des avions, sur des plages, souriants, beaux et grands dans leurs Puma rouges aux tailles infinies.

37.

Dans l'après-midi, la vieille femme qui avait acheté une boîte de pastels pour son petit-fils revint à la boutique.

Je la reconnus immédiatement.

— Bonjour, je ne sais pas si vous me reconnaissez.

— Oui.

— Ah… Je suis venue vendredi acheter une boîte de pastels.

— Oui, oui.
— Pour mon petit-fils.
— Mmm.
— Une boîte à 36 €.
— Mmm Mmm.
— Voilà.
— Ça lui a plu ?
— Non.
— Ah…
— Je ne le connais pas bien, ma fille dit que rien ne lui plaît… Alors j'ai choisi une boîte de pastels, parce que personne n'est contre les pastels… C'est inoffensif un pastel… Au pire, on dit merci, on pose la boîte quelque part et on l'oublie.
— Oui.
— Mais lui a dit que ça ne lui plaisait pas du tout… Il s'est mis dans une colère terrible… Il a dit que… Non je ne peux pas répéter ce qu'il a dit… Je ne peux pas mettre ces mots dans ma bouche…

Je ne savais pas ce qu'avait dit ce gamin à sa grand-mère, mais cela devait être copieux puisque la vieille femme continuait de tourner la tête de gauche à droite en faisant claquer sa langue comme pour expulser les restes de grossièretés de sa bouche.

— Bref… Je voudrais me faire rembourser cette boîte.

— Nous ne faisons pas de remboursements, je peux vous donner un avoir.

— Mais j'ai payé cette boîte.

— Oui, mais nous ne remboursons pas.

— C'est terrible !

— Mmm.

— Cela veut dire que vous ne me donnez pas les 36 € que m'a coûté cette boîte de pastels en liquide, mais que je peux choisir autre chose dans le magasin pour la même somme ?

— Oui.

— C'est un viol !

— Pardon ?

— C'est un viol, juste un viol !

— Un viol ?

— Non, un vol.

— Parce que vous avez dit viol !

— Non, j'ai dit vol, c'est un vol, et je sais ce que je dis !

Je ne comprenais pas pourquoi la vieille femme parlait de viol, mais pour le vol je n'avais rien à dire.

Elle s'est un peu éloignée du comptoir pour regarder les étagères et présentoirs vides ici et là.

— Alors… Voyons ce que vous avez…

J'ai suivi la vieille femme.

— Qu'est-ce que vous vendez ici déjà ?

— Du matériel d'art.

— Et quel genre d'art ?

— Surtout peinture, dessin et sculpture.

Comme je venais de faire une dizaine de fois l'inventaire dans la matinée, je savais exactement ce qu'il nous restait. Pas grand-chose. Au prix de 36 €, la vieille femme pouvait repartir avec deux pots de peinture acrylique blanche neutre, un lot de deux pinceaux standard, un paquet de six mini-rouleaux, trois carnets de croquis format A3. Ou alors combiner les produits entre eux : un pot de peinture acrylique blanche neutre avec trois mini-rouleaux.

Michael débarqua dans le magasin, les bras chargés d'objets numériques divers. Des tablettes tactiles, claviers spécial graphiste, stylets de dessinateur…

A chaque aller-retour, il installait ses merveilles sur les étagères.

La vieille femme choisit une tablette numérique et me la tendit.

— Je vais prendre ça à la place de la boîte de pastels.

— Je crois que c'est plus cher.

— C'est combien ?

Michael réapparut.

— Excuse-moi, combien coûte cette tablette ?

— C'est la PXT 80 ?

Je regardai à l'arrière de la tablette où était écrit PXT 80.

— Oui.

— 399 €.

Je répétai la somme à la vieille femme.

— 399 €.

— C'est plus cher !

— Oui.

— Ça fait combien de différence ?

Je calculai.

— 363 €.

— Ah oui, c'est bien plus cher.

— Mmm.

— Et qu'est-ce ça fait ?

— Ben… C'est une tablette numérique.

— D'accord… Et ça fait quoi ?

Je n'y connaissais pas grand-chose, et désormais, le numérique était le territoire de mon collègue génial.

— Je vais vous laisser voir ça avec mon collègue, c'est lui le spécialiste.

— D'accord, vous, vous êtes le spécialiste des boîtes de pastels !

Elle n'était pas sarcastique en disant cela, elle le pensait vraiment.

Je trouvai Michael.

— Excuse-moi, cette cliente veut des renseignements sur la tablette.

Michael retrouva ma vieille femme après avoir déposé d'autres objets du futur sur un présentoir lumineux.

Je restai derrière la caisse à observer Michael discuter avec ma vieille femme.

Il parlait avec un enthousiasme que n'avait plus connu ce magasin depuis la fin des années 90.

Apparemment, il allait décrire toutes les fonctions de cette tablette à ma vieille, qui semblait encore moins connaître les nouvelles technologies que son propre petit-fils.

La vieille femme avait laissé la boîte de pastels sur le comptoir de la caisse.

Je remarquai que la boîte était complètement détruite sur tout un côté. Des morceaux de bois manquaient et elle était rayée à plusieurs endroits. J'ouvris la boîte (qui ne fermait plus), il manquait trois pastels, un rose, un vert clair, un marron, et le jaune primaire était cassé en deux.

Michael est venu à la caisse suivi de ma vieille femme.

— Tiens, tu me tapes 399 € moins l'à-valoir de ta boîte de pastels.

Ma vieille était sous le charme de Michael qui n'arrêtait pas de parler pour qu'aucun silence ne remette sa vente en question.

— Votre petit-fils va adorer, vous savez les jeunes sont dingues de ces machins.

— J'espère, parce que ma fille dit qu'il n'aime rien.

— Ça, je vous assure qu'il va aimer…

Michael s'est tourné vers moi :

— C'est combien avec l'à-valoir ?

— 363 € mais…

Il s'est rapidement retourné vers ma vieille :

— Pour 363 € vous allez devenir sa grand-mère préférée !

— Ça vaut le coup !

— Michael excuse-moi ?

Michael m'a regardé, il avait un sourire niais qui ne m'était pas destiné.

— Oui ?

— Je peux te parler une seconde ?

— Maintenant ?

— Oui.

On s'est excusés auprès de la vieille, et Michael m'a accompagné dans la remise. Il avait peur de laisser la vieille et qu'elle change d'avis pour la tablette numérique.

— Qu'est-ce que tu veux ?

— On ne peut pas lui faire d'à-valoir.

— Pourquoi ?

— La boîte qu'elle a rapportée est complètement bousillée.

— Et alors ?

— Ben, on ne peut pas la reprendre.

— Elle est vraiment bousillée, ou juste un peu ?

— Non, elle est très abîmée… Je crois que son petit-fils se met facilement en colère… Il a dû jeter la boîte contre un mur.

Michael a réfléchi, mais vite, parce qu'il ne fallait pas laisser la vieille trop longtemps.

— A combien vous touchez la boîte de pastels ?

— 9 €.

Michael s'est marré, rapidement.

— Ecoute, on s'en fout, je touche ces tablettes à 25 € l'unité !

— 25 € !

— Ouais, c'est de la merde, en fait c'est un lot avec un vice de fabrication, au bout de quinze minutes, la tablette est en surchauffe et te brûle les doigts.

— Ah bon.

— Ouais, alors le calcul est vite fait, tes 9 € plus mes 25 € ça nous fait…

— 34 €.

— Exact, 399 € moins 34 € ?

— 365 €.

Michael a levé la main pour que je tope avec lui.

J'ai topé.

On est retournés dans le magasin.

La vieille femme était en pleine réflexion, Michael l'a réattaquée pour qu'elle n'aille pas trop loin et mesure la folie de son geste.

— Ah madame, mon collègue était en train de me dire que j'étais fou de vous laisser profiter de cette occasion unique !

— Qu'est-ce qu'il y connaît lui, il s'occupe des boîtes de pastels !

J'ai imaginé la colère de son petit-fils lorsque la tablette lui brûlerait les doigts.

38.

A la fin de la journée, mon patron a demandé à me voir.

Je suis allé dans son bureau.

J'aimais cet endroit, il y avait des photos de sa famille, sa femme, ses enfants, ses petits-enfants. Et aussi une photo en noir et blanc de son père, qui était mort assez jeune, mais qui avait appris à son fils à ne pas se laisser faire.

A l'époque où j'avais commencé à travailler chez *Graf-Art*, lorsqu'il parlait de son fils, mon patron disait avec un rire satisfait :

— Celui-là, il se laisse pas faire !

J'aimais quand mon patron disait cela.

Ce soir, je remarquai une nouvelle photo dans un cadre. Un petit garçon souriant dans son anorak rouge sur une plage bretonne.

— C'est votre petit-fils ?

Mon patron leva à peine les yeux vers la photo, il était dans ses papiers.

— Ouais, c'est un petit bagarreur…

J'attendais la fin de la phrase qui me faisait plaisir.

— … Il se laisse pas faire celui-là !

J'étais content, même si mon patron l'avait dit sans satisfaction particulière.

— Vous vouliez me voir ?

— Deux minutes !

Il a continué à ranger ses papiers, fait un tas bien propre d'un paquet de feuilles et de factures, puis m'a regardé un moment avant de commencer :

— Alors… Qu'est-ce que c'est que cette histoire de nazi ?

— Pardon ?

— Cette histoire, là, de nazi, d'Hitler et de mecs en short ?

— Je sais pas.

— Jacques !… Il faut me dire !

— Oui, mais quoi ?

— Comme tu sais, Michael est un as en informatique et compagnie… Cet après-midi, il a vu l'historique de l'ordinateur… Il a été choqué… Tes recherches sont très malsaines…

Mon patron a posé son menton sous une de ses mains.

— Jacques… Je ne juge personne… Chacun est libre de faire ce qu'il veut… Mais chez lui… Que tu aies envie de regarder des « beaux hommes » en short et en chaussures rouges, ok… Si ça t'excite de mater des chiots moches et morts écrasés par terre, c'est ton problème… Mais Hitler ! Là, on va trop loin !

— Ce n'est pas ce que vous croyez.
— Je crois rien moi, je vois l'historique.
— Je sais, mais…
— Est-ce que tu as fait ces recherches ?
— Oui, mais pas comme vous croyez… En fait, j'ai acheté un petit chiot dans une boutique, et ce chiot m'a fait penser au chiot d'Hitler…
— Je savais même pas qu'Hitler avait un chiot !
— Moi non plus, mais il ressemblait au chiot qu'Hitler aurait pu avoir s'il avait eu un chiot…
— Il était comment ? Avec une moustache et une mèche ?
— Non, ça c'est Hitler !
— Mais à quoi peut ressembler le chiot d'Hitler bon sang !
— Je ne sais pas, c'était un sentiment.
— Bon, continue.
— Et en sortant du magasin, mon chiot s'est fait écraser par un bus… Il était collé au bitume et je n'ai pas pu le détacher de la chaussée… Depuis, j'ai quelques remords, alors je cherche à savoir si quelqu'un, un employé de la voirie par exemple, n'a pas raconté cette histoire sur Internet.
Mon patron n'a rien dit un moment, il me regardait la main sous le menton.
— L'histoire du décollement du chien ?
— Oui.

— Mais pourquoi le chiot écrasé lui aurait fait penser à Hitler à lui aussi ?

— J'en sais rien.

Il continuait de me regarder.

— Et le rapport avec les « beaux mecs » en short et chaussures rouges ?

— C'est parce que ma femme et moi ne vivons plus ensemble pour le moment.

— Ah non ?

— Non... Elle a une maladie de peau très rare qui se déclenche lorsqu'elle est à mon contact.

— Ah ouais ?

— Oui, d'ailleurs, cette maladie porte mon nom.

— D'accord, mais quel est le rapport avec les mecs en short ?

— C'est parce qu'hier, dans la nuit, je suis allé en douce chez ma femme... j'ai toujours la clé... J'ai entrouvert la porte de sa chambre, et j'ai vu qu'elle dormait avec un homme...

— Ah bon !

— Oui, un homme qui semblait très grand et qui dormait à ma place dans le lit... En refermant la porte, j'ai remarqué l'une de ses chaussures qui traînait par terre, une chaussure de sport rouge de marque Puma.

— C'était quelle taille ?

— 47.

— Dis donc !
— Oui.
— Alors tu as voulu voir à quoi ressemblaient les mecs qui portent des chaussures rouges Puma ?
— Oui.
— Et alors ?
— C'est surtout des images de sportifs connus.

Il m'a regardé encore un peu, et puis il a enlevé la main de son menton, assez vite, comme quelqu'un qui change de position dans son sommeil.

— Si je te connaissais pas, je penserais que tu te fous de ma gueule… Mais je te connais, et je te crois.

Mon patron savait que je ne mentais jamais.

39.

C'est en rentrant à mon hôtel à pied que j'ai repensé à mon réveil du matin. Je ne sais pourquoi, cela m'est revenu presque douze heures après.

Mais surtout, je me demandais comment, sur le moment, cet événement ne m'avait pas plus interloqué.

Cette nuit, après être allé en douce chez ma femme, après l'avoir découverte encastrée dans un autre homme à ma place dans le lit, après avoir reniflé sa Puma rouge taille 47, après avoir regardé mon fils dormir, après lui avoir dit au revoir, après avoir débarrassé la table, fait la vaisselle et rangé le salon, je suis rentré à mon hôtel.

Le nouvel employé était endormi derrière son comptoir devant un clip de Whitney Houston.

J'ai regagné ma chambre, mangé quelques croquettes et me suis couché dans l'espoir de dormir au moins une heure avant mon rendez-vous avec E. Letteret.

Le sommeil arriva vite, alors que j'étais sur le flanc gauche face au mur.

Je me réveillai une heure après, mais je n'étais plus dans le lit, j'avais changé de place entre-temps.

J'étais dans la niche du chiot.

A l'autre bout de la chambre, en position fœtale, couché sur le tapis de mousse, entièrement recroquevillé dans la niche.

40.

A l'hôtel, l'employé maigre avait retrouvé sa place.

Il ne pouvait s'empêcher de me regarder comme un malade mental, avant de baisser les yeux pour constater l'état d'invisibilité de mon chien.

— Monsieur Blanchot !
J'allai le retrouver derrière son comptoir.
— Oui.
— Il y a une note pour vous.
Il déposa une enveloppe avec mon nom sur le comptoir devant moi.
Je l'ouvris.
Il s'agissait de la facture des dernières nuits passées dans l'hôtel.
276 €.
Je mis la facture dans ma poche en disant à l'employé que je le payerais bientôt.
— C'est-à-dire ?
— Je ne sais pas encore combien de temps je vais rester, je vous payerai en partant.
L'employé ferma les yeux pour dire :
— Non, non, non, non...
Et puis :
— Dans une semaine l'hôtel sera complet, nous avons une réservation pour l'ensemble des chambres, un salon porte de Versailles, il faudra partir avant et payer demain...
Il se calma un peu.
— Vous savez, mon patron est très strict... Moi ça ne me plaît pas de réclamer de l'argent aux clients, de les empêcher d'avoir un chien, de les mettre dehors, mais si je ne le fais pas, c'est moi qui serai foutu à la porte.

Je regagnai ma chambre en pensant ceci :

— Personne ne t'en veut de faire ton travail petit homme, mais n'y trouve aucune raison de te conduire comme une merde.

41.

Monsieur E. Letteret m'avait conseillé d'avoir une discussion avec ma femme, et aussi de « mettre un peu les choses à plat ».

Je ne comprenais pas si nous devions « mettre nos choses à plat » ensemble, ou si je devais « mettre mes choses à plat » à moi dans un premier temps, puis téléphoner à ma femme une fois aplati.

J'y réfléchis en mangeant quelques croquettes du paquet (qui diminuait sérieusement), puis composai le numéro de la maison.

Je laissai sonner cent vingt-sept fois avant de raccrocher.

J'appelai sur le portable de ma femme.

Aucune sonnerie, mais sa messagerie immédiate, dont elle avait changé l'annonce.

Désormais, ma femme s'excusait de son absence en s'empêchant de rire, puis s'interrompait en demandant à une autre personne d'arrêter (de la faire rire, on supposait), puis allait au bout de son annonce, pour finir par laisser éclater sa joie coupée net par le bip.

Je laissai un message dans la même énergie :

— Ouiii, c'est Jacques ! Jacques, Jacquot, Jackie !... Ah, ah, ah... Rappelle-moi quand tu peux... Et si tu le veuuux... Whaou... Je t'embrasse...

Je raccrochai et allai me regarder dans le miroir de la salle de bains.

J'avais l'air triste.

Je me coiffai avec le peigne du chien.

J'avais toujours porté une raie sur le côté gauche.

J'essayai à droite.

J'avais l'air triste et fou.

En remettant ma raie du bon côté, je chuchotai le message que j'avais laissé à ma femme. Je le fis plusieurs fois, comme un enregistreur passant inlassablement de rewind à play.

Au bout du dixième passage, je compris mon erreur : *Rappelle-moi quand tu peux.*

Mais où ?

Si elle appelait sur mon portable, elle risquait de tomber sur le père de Stanislas, le faux copain de mon fils, à qui il avait refilé mon téléphone, qui lui-même l'avait refilé à son père.

Je n'avais pas résilié mon contrat avec l'opérateur. Non par paresse ou par peur de représailles, mais parce que j'étais incapable de mettre un terme à quoi que ce soit ; et il me faudrait des mois, et quelques centaines d'euros pour que je m'y résolve.

Je rappelai sur le portable de ma femme.

Je fus surpris car cette fois, et si peu de temps après le premier appel, j'entendis une tonalité.

Au bout de la troisième sonnerie, elle décrocha. Elle était raccord avec l'annonce de son répondeur, sa voix était joyeuse, et je semblais la déranger au milieu d'un de ses nouveaux fous rires.

— Aaaallô !

— C'est Jacques.

J'essayai de garder la même énergie.

— Jacques !

— Oui, Jacques, Jacquot, Jackie !

— Quoi ?

— Non… C'est Jacques… Blanchot.

— Oui… mais je ne peux pas te parler maintenant.

— J'ai essayé de t'appeler à la maison… Nobody a la casa !

J'avais quelques notions d'anglais et d'espagnol.

— Quoi ?

— Rien… Je voulais te parler.

— C'est que… Je ne suis pas à Paris, je suis partie quelques jours au bord de la mer.

Cela me déchira le cœur.

Et tout ce qui se trouvait au bord de la mer provoquait en moi un effondrement de l'âme.

— Ah.

— Je rentre dimanche en fin de journée.

— Et Victor ?

— Victor est chez un ami de sa classe… Stanislas.

J'ai pensé que mon fils avait dû lui filer une voiture volée pour que Stanislas accepte de l'héberger.

— D'accord, je te rappellerai dans quelques jours.

J'allais raccrocher.

— Attends, Jacques ?

— Oui.

— Tu as vu le banquier ?

— Oui, c'est pour cela que je t'appelais.

Depuis que ma femme m'avait dit qu'elle était au bord de la mer, il me semblait entendre les vagues derrière et le vent souffler.

— Et alors ?

— Il m'a dit que je devais avoir une discussion avec toi et mettre les choses à plat… Je dois le revoir lundi prochain.

— Attends une seconde.

Je compris qu'elle se mettait un peu à l'écart pour me parler, et je ne savais pas si son *attends une seconde* m'était destiné à moi, ou à une autre personne dont elle voulait s'éloigner.

— Jacques ?

— Oui, je suis là.

— Ecoute, Victor et moi sommes d'accord pour que l'on reste ensemble.

— Toi et moi ?

Elle rit.

— Non, lui et moi... Je veux vivre avec mon fils... Tu pourras le voir régulièrement.

— Quand ça ?

— Régulièrement.

— Ça veut dire quoi ?

— De façon régulière !

— Et pour la maison.

— C'est chez nous.

— Chez toi et moi ?

— Non, chez Victor et moi.

Depuis un moment, j'avais abandonné mon faux ton léger.

Je me mis à peser trois cents kilos pour dire :

— Tu sais, peut-être qu'on ne va plus se voir... Ce n'est ni de ta faute, ni de la mienne... C'est la vie qui décide... Nous sommes sur un bateau et naviguons ensemble depuis tant d'années, hier le vent s'est levé, la tempête frappe aujourd'hui, j'ai sauté sur le canot de détresse pour vous sauver Victor et toi… et demain…

— Jacques !

— Oui ?

— Tu vas devoir payer une pension.

— Comment ?

— J'ai parlé à un juge… Il est normal que je vive avec Victor dans la maison, mais toi tu dois payer une pension, même si tu décides de ne plus le voir…

— Combien ?

— Je te propose de continuer à payer ta part de la maison.

— C'est très cher… Et je n'ai pas les moyens… Je ne pourrais plus vivre une fois la pension payée.

— Tu n'avais qu'à y penser avant.

— Mais normalement on ne calcule pas la pension en fonction des revenus de celui qui paye ?

— Comme tu es mesquin… Moi, moi, moi… Tu n'as pas envie que ton fils vive dans un taudis parce que tu n'as aucune ambition personnelle. Si la merde te suffit, tu n'es pas obligé de l'imposer aux autres.

Mon canot de détresse était percé, j'étais entouré de requins et je ne voyais plus la terre.

— Ecoute Jacques, on en parlera plus tard, je ne peux pas te parler maintenant pendant des heures… Vois le banquier, il t'expliquera.

— Et Victor ?
— Je lui dirai de t'appeler.
Elle raccrocha.
Je me demandai à quel endroit elle dirait à notre fils de me téléphoner.

42.

Dans la nuit, je me réveillai dans la niche du chiot.

Je me levai et allai me recoucher dans le lit.
Je me rendormis vite.

Le jour s'était levé, je me réveillai dans la niche du chiot.

Je me levai, mangeai quelques croquettes, allai me coiffer dans la salle de bains et partis travailler.

43.

En arrivant, je trouvai Michael, mon patron et la vieille femme dans le magasin.

La vieille femme portait un bandage à une main et un autre autour de la tête. Son visage était couvert de petites plaies.

Elle pleurait en parlant :

— Mon petit-fils qui n'aime rien a été heureux en ouvrant son cadeau… Ah, vous aviez raison, il en rêvait, d'une tablette… Il s'est précipité sur le canapé pour s'en servir tout de suite, il ne pouvait pas attendre… *Merci mamie* qu'il disait, *merci mamie*… Ma fille a préparé du thé… Nous sommes allées bavarder dans la cuisine, et cinq minutes après…

La vieille femme avait du mal à poursuivre, elle tremblait, et fut obligée de prendre une inspiration profonde pour continuer.

— … Cinq minutes après, nous avons entendu un cri, un terrible cri de douleur… Nous avons couru dans le salon ma fille et moi, et là nous avons découvert mon petit-fils, hurlant, la tablette en feu dans ses mains, comme si des flammes lui sortaient des bras… J'ai arraché la tablette de ses mains, et j'ai brûlé les miennes, puis j'ai jeté la tablette à l'autre bout de la pièce, mon petit-fils s'est levé d'un bond et m'a mis un coup de tête qui m'a assommée… Je ne sais pas s'il l'a fait exprès ou s'il paniquait…

Elle a pris une autre inspiration, plus calme, comme celle de ma femme le dimanche soir, quand elle enterrait sa mélancolie en disant : *c'est comme ça !*

La vieille femme a terminé :

— Nous nous sommes réveillés tous les trois, ma fille, mon petit-fils et moi à l'hôpital… Des voisins ont prévenu les pompiers lorsqu'ils ont vu la maison brûler…

Une dernière inspiration, puis :

— Il n'y a plus de maison.

Michael et mon patron n'ont rien dit pendant un moment. Ils regardaient la vieille femme blessée et traumatisée, puis se sont regardés entre eux.

Michael a parlé en spécialiste :

— Votre petit-fils a dû faire une mauvaise manip' !

— Mais vous ne m'aviez pas dit que la tablette pouvait faire du feu ?

— Ben, si.

— Il faut prévenir les gens, c'est très dangereux… C'est quelle touche pour faire du feu ?

— #/#F.

La petite vieille a sorti la tablette de son sac. Ça ressemblait juste à un morceau de plastique fondu.

— Les pompiers l'ont récupérée dans l'incendie.

Michael a pris la tablette et l'a examinée.

— Mmm, je vois… Il y a eu… une erreur d'utilisation.

— Ah bon… Mais à quoi vous le voyez ?

Michael a relevé la tête vers la vieille femme.

— Ben, c'est brûlé !

— Oui, mais…

— Si ça a brûlé, c'est qu'il y a forcément eu une erreur d'utilisation.

— Ah… Mais ça peut pas être la tablette qui avait un défaut ?

Michael s'est marré, nous le regardions, la vieille, mon patron et moi.

— Non madame, les tablettes ne brûlent pas toutes seules, les tablettes ne sont pas des pyromanes qui décident d'un coup de brûler les gens et leurs maisons !

Il a redonné le bout de plastique fondu à la vieille femme, qui l'a regardé un instant dans sa main bandée.

— Alors vous ne pouvez pas me rembourser ?

— Désolé, nous pouvons rembourser du matériel défectueux, mais pas ce qui est cassé ou brûlé.

— Mon petit-fils a dit qu'elle avait pris feu dans ses mains comme ça, sans qu'il ne fasse rien.

— J'ai cru comprendre que votre petit-fils était plutôt… agressif…

Pour la première fois, Michael s'est tourné vers moi. J'ai alors compris qu'il avait remarqué ma présence dès mon arrivée.

— Hein, Jacques ?

Il voulait que je l'approuve au sujet de l'agressivité du petit-fils.

Mon patron me regardait aussi, j'ai vu qu'il était gêné, il me souriait légèrement.

Je n'ai pas répondu à Michael.

La vieille femme est partie d'un coup. Elle avait l'air sonnée. Elle a fait demi-tour et s'est dirigée vers la sortie.

Nous la regardions.

En passant près de moi, je l'ai entendue marmonner :

— Les pastels sont inoffensifs eux… Les pastels sont inoffensifs…

Avant de sortir, elle s'est retournée vers Michael et mon patron.

— Vous êtes… des voyous.

44.

Il fallait que je demande une avance à mon patron.

Au moins de quoi payer l'hôtel.

Toute la matinée, je cherchais comment lui demander. Je ne savais pas faire ce genre de chose sans avoir l'impression de mendier ou de commettre un hold-up.

Avec ce qui s'était passé ce matin, et la gêne que j'avais vue dans son regard, je pensais que mon patron accepterait facilement, car c'était un homme bon, qui voudrait réparer cette mauvaise action par une bonne.

Au moment où je me décidai à aller frapper à la porte de son bureau, il débarqua dans le magasin :

— Jacques, viens dans mon bureau, j'ai à te parler.

Je fus déçu qu'il déclenche le premier.

J'aurais plus de mal à lui demander cette avance s'il avait l'impression que ce n'était pas un acte volontaire de ma part. Je ne voulais pas qu'il pense que je la lui demandais parce que je m'étais retrouvé par hasard et à ce moment dans son bureau.

45.

Je m'assis en face de lui. Sur son bureau, un nouvel ordinateur avait remplacé ses colonnes de dossiers et prenait toute la place.

— Justement, moi aussi je voulais vous parler, j'allais venir vous voir quand…

— Jacques, je pense que l'on veut exactement la même chose toi et moi.

Même si je trouvais étonnant que mon patron ait envie de me refiler une avance en liquide, je répondis :

— Oui.

— Tu travailles ici depuis longtemps maintenant, combien de temps ? Douze ans ? Quinze ans ?

Je travaillais chez *Graf-Art* depuis dix-huit ans et huit mois.

— Dans ces eaux-là.

— Alors je voudrais comprendre… Que s'est-il passé ce matin ?

— Ce matin ?

— Oui, avec cette vieille femme ?

— Rien, elle a rapporté sa tablette défectueuse et vous n'avez pas voulu la rembourser.

Mon patron a rigolé, mais sans rire vraiment.

— *Défectueuse* !… *Rembourser* !…

Il me fixa un moment. J'avais du mal à soutenir son regard, je levai les yeux et tombai sur la photo en noir et blanc de son père.

Il continua :

— Ce matin, tu n'étais pas avec nous… Enfin, tu étais *Graf-Art*… Mais il te manquait un X… J'ai vu ton regard, tu as sûrement pensé que tu avais raison, que tu représentais la justice, la normalité dans ce magasin, face à cette pauvre femme… N'est-ce pas ?

Son *n'est-ce pas* n'attendait aucune réponse de ma part, c'était un *n'est-ce pas* comme ça, pour poursuivre sa pensée :

— Mais je vais te demander quelque chose... Qu'est-ce que la normalité, Jacques... Qu'est-ce que la normalité ?

Cette fois mon patron attendait un retour.

(Je considérais la normalité comme le bien le plus précieux de notre monde civilisé. La normalité pour moi était tout simplement l'humanité. Celle qui faisait que les hommes arrivaient malgré tout à vivre ensemble sans se faire de mal. La normalité empêchait les autres de me tirer une balle dans le ventre au moindre mot. Et aujourd'hui, je comptais sur elle pour éviter de me noyer.)

— Je ne sais pas... L'équilibre.

— L'équilibre !... Oui, d'accord, l'équilibre... Mais tu admettras que toutes les normalités ne sont pas les mêmes selon le point de vue où l'on se place... Les nuances peuvent même être très fines... Tu sais parfaitement qu'il faut parfois un œil très averti pour différencier une couleur d'une autre...

Je me demandais ce qu'il aurait trouvé si nous avions vendu des frigos ou des lave-linge.

— Ce matin, tu nous as déséquilibrés... Tu n'étais pas de notre côté de la balance, et Michael et moi penchions sévèrement… Je ne peux pas garder un tel poids…

J'étais un peu perdu dans les métaphores de mesures et pesées même si je comprenais l'intention générale.

— Je suis désolé, je ne voulais pas.

Il m'a regardé un moment.

— Tu penses que je suis un voyou ?

— Non.

— Jacques !… Est-ce que tu penses comme cette pauvre femme que je suis un voyou ?

— Non.

— Merde à la fin… Je te vire Jacques, sans indemnités, rien, faute professionnelle, voilà, les chiots morts, les nazis, les « beaux hommes », ton arrogance de ce matin, faute professionnelle, voilà !

Il se rapprocha de moi en appuyant les deux avant-bras sur son bureau. Je n'arrivais pas à le regarder dans les yeux et une nouvelle fois je trouvai refuge dans le portrait en noir et blanc de son père, suspendu sur le mur derrière lui.

Son père avait le même regard que son fils, et plus encore, le même regard que le petit garçon qui posait sur une plage bretonne dans son anorak rouge.

Je compris à cet instant que mon patron avait des yeux d'enfant. Des yeux tendres. Qui ne préméditaient aucun mal.

Et alors qu'il était penché vers moi, cherchant toutes les raisons du monde pour me renvoyer (sa première tentative avec mes recherches Internet bizarres ayant échoué), essayant de me faire dire du mal de lui (bien que la vieille femme, ce matin, l'eût déjà touché), je ne pensais à rien d'autre qu'à l'amour que nous ressentions l'un pour l'autre. Jamais je ne l'avais vu autant m'aimer. Il ne pouvait pas faire autrement que de me demander de partir. Car il aimait encore davantage d'autres personnes, sa femme, ses enfants, son petit-fils, son neveu. Mais son amour pour moi était grand, et intact.

Je lui pris la main, la plus proche de moi.

— Je vous aime beaucoup.

Il resta un moment accroché à moi, puis d'un revers de bras dégagea violemment l'ordinateur de son bureau qui alla s'écraser contre le mur et le sol.

Il prit sa tête entre ses mains et s'effondra en larmes.

— Ce con de Michael… le neveu de ma femme… Tu crois que j'ai envie de passer mes journées avec ce merdeux prétentieux ?… Cet enfoiré est ma seule chance de survivre… à mon âge… Tu te rends compte… Tu sais ce qu'il m'a dit quand je lui ai raconté que j'allais te renvoyer ? Que je devais le faire en moins de deux minutes… Un truc de *manager* de son école à la con…

Il a redressé son beau visage vers moi.

— Viens me voir parfois Jacques… On ira déjeuner ensemble… S'il te plaît…

— Oui.

Avant de fermer la porte, je me retournai vers le bureau de mon patron.

Je sentis alors à nouveau le corps invisible et sa voix terrifiante :

— Tu seras mort la prochaine fois que tu viendras ici.

46.

Je devais payer l'hôtel. En arrivant dans le hall, j'allai moi-même trouver le réceptionniste, histoire de tirer le premier. Lui expliquer que je le payerais lundi au plus tard. Mon idée était de demander une autorisation de découvert à E. Letteret.

L'employé n'était pas derrière son comptoir.

Je restai un moment à l'attendre et hésitai à attraper ma clé accrochée au casier pour monter dans ma chambre.

Il finit par arriver.

— Bonjour…

— Oui, bonjour, vous devez régler la note aujourd'hui.

— Justement, je venais pour ça…

— Bien sûr !

Il ne me croyait pas. Il ne pouvait accepter que je ne mente jamais car il avait appris que la plupart des hommes mentaient toujours.

— Je pourrai vous payer lundi.

— Lundi !

— Oui, j'ai rendez-vous à ma banque et je vais leur demander de me donner de quoi vous payer.

— Très bien.

Il passa à autre chose, s'écroulant sur son fauteuil et plongeant son visage dans son ordinateur, un AXT 203, je crois.

— Excusez-moi ?

— Oui ?

— Je peux avoir la clé de ma chambre ?

— Oui… Lundi.

Il restait fixé sur son ordinateur et sa page Facebook sur laquelle défilaient des photos d'amis hilares, seuls ou à plusieurs, sur des plages, dans des stades, ou dans des boîtes de nuit.

— Mes affaires sont dans la chambre !

— Vous les récupérerez lundi, quand vous payerez.

— Mais je ne vais pas partir, si je veux retourner dans ma chambre, c'est bien que je ne veux pas partir !

— Nous gardons vos affaires en gage.

— Mais il n'y a rien là-haut, juste les affaires de mon chiot.

— Eh bien, votre chiot récupérera ses affaires lundi.

— Mais il est mort.

L'employé ne dit plus un mot.

J'avais déjà vu ce genre de scène dans les films. Et depuis plus d'un siècle maintenant, la vie empruntait beaucoup au cinéma. Particulièrement dans la haine et l'amour. L'héroïsme et la bassesse.

Aujourd'hui, mon employé jouait le jeu du mauvais commerçant au trop grand pouvoir. J'étais l'étranger. Le prisonnier en liberté surveillée. Celui au passage duquel on fermait les volets des maisons. Et lorsque le cinéma s'inspirait de la vie (j'entends aussi par vie, télévision), il ne s'inspirait que de lui-même, et de son passé, de ses propres haines, amours, héros, lâches.

Aujourd'hui, mon commerçant ne relèverait pas la tête de son écran, il garderait ma clé et les affaires du chiot, alors je tournerais les talons, et repartirais vers mon destin, mais ce ne serait pas la dernière scène, car si le cinéma a bien appris quelque chose à la vie, c'est d'avoir des fins surprenantes.

47.

Je retournai vivre quelques jours chez moi. Ma femme et mon fils n'étant pas là, ils ne seraient pas gênés par ma présence.

Je laissai les volets fermés, ne répondis pas au téléphone quand il sonna (il ne sonnait jamais pour moi), et ne touchai à rien, ni au frigidaire, à la vaisselle, au linge de maison, draps, couvertures et serviettes.

Ma femme devait rentrer dimanche, et il aurait été dommage qu'une crise de démangeaisons la reprenne, alors qu'elle était sûrement sur la voie de la guérison.

Je passais mes journées assis ou allongé à différents endroits du sol de la maison. Je buvais de l'eau à même le robinet. Pris deux fois un bain et restai nu dans la baignoire vide en attendant que mon corps sèche.

48.

Plusieurs fois au cours de ces journées, le petit chien de notre voisine vint gratter à la porte.

Notre maison possédait un jardin assez modeste, et le chien arrivait à s'y faufiler, Dieu sait de quelle façon.

Lorsque j'allais de l'autre côté de la porte pour lui parler ou lui envoyer quelques petits signaux de vie, le chien s'excitait encore plus et pleurait d'impatience.

Je finis par entrouvrir la porte, pour lui donner une caresse et lui montrer que je n'avais rien contre lui.

En me voyant, le chien recula rapidement de quelques mètres. Il restait excité, debout sur ses quatre pattes, la queue remuant à la vitesse des ailes d'une mouche en plein vol.

Je découvris à mes pieds qu'il avait laissé son os.

Je le ramassai.

Il ne s'agissait pas d'un os véritable, mais plutôt d'une sorte de reproduction, imitant plus un os de dessin animé qu'un véritable cartilage animal.

Son odeur était un mélange de poisson, de volaille et de légumes divers, j'y reconnus le parfum de mes croquettes.

Je lançai l'os au chien.

Il alla le chercher mais me le ramena immédiatement.

J'eus l'impression qu'il ne voulait pas jouer à « va chercher le truc », même s'il semblait en être coutumier.

Je le lui lançai une nouvelle fois.

Il regarda l'os tomber pathétiquement près de lui.

Il aboya vers moi, puis repartit et disparut du jardin par son passage secret.

Le chien venait de m'expliquer qu'il m'offrait son os.

Je restai un moment à le contempler sans oser quitter la maison pour le récupérer.

Il me fallut plus d'une heure, avant de me décider à foncer ramasser l'os et revenir m'enfermer dans la maison, ce qui me prit quatre secondes.

Cet os fut le compagnon de mes jours et de mes nuits. Je passais les premiers temps à le lécher, car, même si je mourais de faim, il était inutile d'essayer de le croquer. L'os devait d'abord s'attendrir, puis s'effriter légèrement, avant de céder en plusieurs morceaux, que je devais à nouveau lécher.

Parfois je le laissais traîner une heure ou deux quelque part, puis le reprenais (machinalement ou volontairement) pour continuer ma dégustation.

Le petit chien voisin revint encore.

J'ouvrais la porte de quelques centimètres, de quoi laisser passer ma main pour lui gratter le haut de la tête.

Il m'offrit aussi une mini-souris en plastique (davantage destinée aux chats, à mon sens) qui couinait à chaque pression.

Le chien ne restait pas longtemps, et ses visites imprévues ressemblaient à celles des visiteurs de prison.

49.

La nuit du vendredi, alors que je dormais sous mon lit dans ma chambre, je fus réveillé par le couinement de la souris en plastique.

J'ouvris les yeux et me mis sur le flanc droit de façon à pouvoir observer le reste de la pièce.

Deux paires de jambes évoluaient doucement, elles appartenaient à des garçons qui, plus haut, parlaient en chuchotant.

— C'est quoi cette souris ?

— J'en sais rien !

Je reconnus la voix de mon fils. Je reconnus aussi son jean et ses tennis à bandes multicolores.

L'autre paire de jambes pouvait appartenir à Stanislas, mais je n'en étais pas certain.

— Tu veux pas allumer la lumière ?

— Non, personne est censé être chez moi… Et puis on y voit quand même.

— Moi je vois rien !

J'étais heureux que mon fils ait la même aptitude nyctalope que moi.

L'autre gamin s'impatientait pendant que mon fils ouvrait et fouillait dans les tiroirs des commodes.

— T'es sûr que c'est ici ?

— Grave ! Je l'ai vue la planquer avant qu'ils partent, il voulait pas emmener sa montre à la mer.

— Elle va pas sous l'eau sa montre ?

— Tu parles, c'est une montre hyper ancienne, elle doit valoir au moins 5 000 € !

Mon fils chercha dans les tables de nuit. D'abord celle de ma femme dans laquelle il ne sembla rien trouver, puis la mienne, de mon côté du lit, et juste au-dessus de l'endroit où je me trouvais à ce moment.

— Y a rien, putain !

— Regarde sous le lit, les gens ils planquent souvent des choses sous le lit.

Je vis mon fils se mettre à genoux et se baisser.

Et au lieu de trouver une montre, il tomba nez à nez avec son père.

Je lui souris.

Il resta bouche bée.

Nous demeurâmes quelques secondes les yeux dans les yeux, puis il se redressa.

— Alors ?

— Y a rien… Allez viens on se casse.

— Et la montre !

— On viendra une autre fois…

La porte d'entrée claqua au loin.

Je ne bougeai plus.

Une fois de plus, mon fils et moi nous étions retrouvés de nuit, dans une de ces chambres, l'un se penchant sur l'autre, couché.

Sauf que cette fois, nous étions tous les deux étrangers dans notre propre maison. Et il faudrait désormais compter sur ces rencontres imprévues, où nos errances nous mèneraient aux mêmes croisements de la vie.

50.

Le samedi matin, je me levai en même temps que le jour qui apparaissait discrètement dans la maison.

Je ramassai les quelques bouts de mon os et m'assurai qu'il n'en traînait aucune particule ailleurs.

Je mis la souris en plastique dans la poche de mon blouson et quittai les lieux.

En traversant l'allée bordée d'autres maisons identiques à la nôtre, le petit chien apparut devant moi.

Il semblait vouloir jouer, mais je ne pouvais rester trop longtemps sans me faire repérer.

Le chien m'accompagna jusqu'à la grille d'entrée de la copropriété.

Apparemment, il était prêt à sortir avec moi dans la rue.

— Non, je dois partir maintenant.

Le chien m'écoutait.

— Je ne peux pas t'emmener, je vais à une leçon de dressage pour chien.

Le chien m'écoutait et semblait trouver bizarre ce que je lui racontais.

— Je vais encore venir dormir ici ce soir, je te ramènerai quelque chose du bois.

Il eut l'air satisfait et repartit chez lui en courant.

51.

J'arrivai une heure en avance au bois de Vincennes, au même endroit que la semaine précédente.

J'étais le premier, et cela me mettait en joie, car je savais que Max serait content.

Le bois était encore désert, et seuls quelques sains joggeurs s'activaient ici et là, courant d'un air sérieux, concentrés sur leurs défis et records personnels.

Je décidai moi aussi de faire quelques exercices et commençai une série de *assis-couché-debout*.

Hors du contexte de la leçon de dressage et du cercle des maîtres et de leurs chiens, je compris vite le ridicule de mes mouvements, lorsque les joggeurs me regardèrent stupéfaits en passant près de moi.

Je restai alors assis, et trouvai même une pomme de pin que j'enfouis dans ma poche, pour l'offrir au petit chien de ma voisine.

Je m'allongeai le dos collé à la pelouse.

Un vent léger caressait la cime des arbres et leurs mouvements ressemblaient à ceux d'une algue sous-marine.

J'étais de ceux que la nature bouleverse.

Je ne l'avais pourtant découverte que très tard, à l'âge adulte, lors de premières vacances avec ma femme.

Nous étions partis chez une de ses amies d'enfance à quarante minutes de Paris, par le RER C.

Après le déjeuner, nous étions allés nous promener dans la campagne avoisinante. Ma femme et son amie marchaient devant, discutant de leur vie ennuyeuse et se donnant des conseils pour la changer.

(Ma femme m'apprit plus tard que je ne plaisais pas à son amie, car elle me trouvait sans ambition, et j'apparus sûrement comme le premier élément à changer.)

Pendant la promenade, je m'arrêtai souvent pour observer un arbre, une fleur le long du sentier, ou simplement la lumière qui éclairait certains endroits de la forêt et les ombres projetées.

Je me perdis mentalement (seul espace où l'on peut réellement se perdre) puis finis par m'égarer physiquement.

Dans une clairière, le ramage des oiseaux et le scintillement des feuilles avaient remplacé les plaintes aiguës des deux femmes qui me précédaient.

Je reconnus ma maison. Mon endroit naturel. Et même si je n'y avais jamais mis les pieds, tout ici m'était miraculeusement familier. Ce fourré où je me coucherais. L'arbre qui me servirait d'abri et de toit. Je trouverais vite la rivière pour boire et me baigner, de quoi me nourrir, et le ciel serait mon spectacle permanent.

Je décidai de me jeter dans un coin touffu, caché derrière les herbes sauvages.

Je restai ainsi, couché et immobile, décidé à disparaître.

Le temps passa, et je perdis vite la mesure des secondes, des minutes et des heures.

La nature, d'abord surprise et méfiante, reprit bientôt son droit, les fourmis leur chemin, et les oiseaux leur chant.

Au bout d'un certain temps, dont je ne saurais dire précisément la durée, ma cheville me brûla.

Je me grattai avec l'autre pied.

Mais la démangeaison revenait constamment, et je ne pus m'empêcher de m'asseoir pour me soulager avec la main. Puis cette même main me démangea à son tour, et les deux bras, l'autre main, la nuque, les épaules et le corps tout entier.

Je me mis debout d'un bond, et sautai en l'air tant j'avais l'impression d'être en flammes. Je n'avais pas assez des deux mains pour atténuer les souffrances sur l'ensemble de mon corps.

Je me déshabillai entièrement, et découvris des milliers de petits boutons et de boursouflures partout sur ma peau. La couleur générale allant du rouge clair au jaune safrané.

Par chance, une petite brise fraîche se leva alors que je sautais en me grattant dans tous les sens comme un dément.

Ce fut le moment où ma femme et son amie débarquèrent dans ma clairière.

Elles restèrent à me regarder m'agiter comme un ver.

— Qu'est-ce tu fous ?

— Je brûle !

— Qu'est-ce qu'il raconte ?

— Je me suis allongé là… et depuis… ça me gratte terriblement.

L'amie de ma femme fit un pas vers mon lit sauvage.

— Ce con s'est foutu dans des orties !

— Pourquoi tu t'es allongé dans ces orties ?

— Je sais pas… Je voulais… rien…

Ma femme et son amie continuaient de me mater gesticuler dans ma brise. Elles auraient pu s'amuser de cette situation et même y trouver une véritable proposition alternative à leur vie ennuyeuse. Mais pas le moindre sourire ne naissait à la commissure de leurs lèvres, et l'on pouvait deviner dans leur regard : du dégoût chez ma femme ; de la pitié chez son amie.

Elles finirent par me tourner le dos et repartirent par où elles étaient arrivées.

— Allez, on rentre.

Je les suivis.

Ma femme me dit sans se retourner :

— Attends un peu, j'ai pas envie qu'un mec à poil en train de sauter nous suive à deux mètres.

Je restai donc encore un moment dans ma clairière.

Sans rancune.

Car si j'avais souffert physiquement en m'y couchant, je la retrouverais mentalement, tel un refuge, un Eden secret, une ambition.

52.

— Chien… Chien ?… Chien ?…

J'ouvris les yeux, Max se tenait debout devant moi, allongé sur la pelouse.

Le soleil m'éblouissait, et je dus me redresser un peu pour créer une sorte d'éclipse avec la tête de Max.

Il tenait d'une main un large filet qui contenait toutes sortes de choses indéfinies, des vêtements, plots orange en plastique, genouillères…

— Debout !

Je me levai.

Il me regarda en souriant, puis se mit à faire son truc de bouger la tête de haut en bas.

— Tu as été bon la semaine dernière !

— Oh…

— Très bon !

Il se pencha sur son filet qu'il ouvrit pour fouiller à l'intérieur.

— J'ai quelque chose pour toi.

J'étais un peu excité pendant qu'il cherchait dans son filet.

Max me tendit un collier pour chien en cuir beige.

— C'est pour chien adulte… L'autre te serrait la semaine dernière.

— Merci, Max.

— Il te plaît ?

— Oui, il est beau.

— Tu veux que je te le passe ?

— Oui, je veux bien.

Max se plaça dans mon dos, et ouvrit un peu ma chemise sur mes épaules pour attacher le collier autour de mon cou.

Les joggeurs qui passaient avaient de nouveau droit à un spectacle bizarre.

— Tu as un cou de jeune fille !

— Pardon ?

— Le collier est trop large.

Il revint en face de moi.

J'étais déçu.

— On ne peut pas faire un trou comme dans une ceinture ?

— Non, le cuir est trop épais et je préfère ne pas l'abîmer. Nous irons au magasin plus tard, et nous en choisirons un ensemble.

Max posa ses deux mains autour de mon cou, il mesurait son diamètre.

— Mmm… Tu as le cou d'un jeune labrador.

— Ah bon.

— Tu vas faire la leçon sans collier.

— D'accord… Qu'allons-nous apprendre aujourd'hui ?

— Tu verras bien.

Nous sortîmes les choses du filet.

D'abord les plots en plastique orange que nous installâmes à une distance égale de trente enjambées de manière à former un large carré.

Puis des vêtements étranges, rembourrés de mousse et dont les manches et les entrejambes étaient enroulés de Chatterton.

Enfin, Max se changea pour une tenue plus confortable : treillis kaki, tee-shirt bleu marine frappé de l'inscription *Max Attack* et de son numéro de téléphone, casquette vert foncé, et il passa un lacet que retenait un sifflet autour de son cou.

— Les autres ne seront là que dans quinze minutes.

Max attrapa une balle de tennis qu'il envoya à une quarantaine de mètres.

Je le regardai un moment, puis allai la chercher pour la lui ramener.

— Assis !

Je m'assis.

Il jeta la balle une nouvelle fois. Je regardai où elle tombait et m'apprêtai à aller la chercher, quand :

— Pas bouger !

Je regardai Max.

Il me fixait sans cligner des yeux.

— Pas bouger !

Je ne bougeai pas d'un centimètre.

Max releva le visage, et se détourna de moi pour regarder ailleurs, au loin.

— Va chercher la balle !

Je partis en courant là où j'avais mémorisé la chute de la balle. Je la trouvai, la ramenai à Max, et m'assis à ses pieds sans même attendre qu'il me le demande.

Max me caressa le haut du crâne, et je fus ému de sentir l'affection dans sa main ferme, son regard, et sa tête qu'il bougeait de haut en bas.

53.

La dizaine d'hommes accompagnés de leur chien arrivèrent à l'heure et nous commençâmes la leçon.

Max expliqua la présence des quatre plots orange.

Il s'agissait de délimiter un territoire.

Un chien devait apprendre à connaître ses limites.

Je restai assis à ses pieds pendant cette première introduction.

Ensuite, Max agita la balle de tennis devant mon visage et l'envoya à quelques mètres, à l'intérieur du périmètre défini.

— Va chercher !

Je fonçai ramasser la balle et la lui ramenai.

Max lança la balle beaucoup plus loin, en dehors du territoire.

— Va chercher !

A nouveau je m'activai vers la balle, et me doutant bien de ce qui allait se passer, au moment où j'arrivais devant le plot orange, Max me hurla :

— Stop !

Je m'arrêtai net.

— Assis !

Je m'assis.

Il donna un coup de sifflet avec un geste de la main qui signifiait que je devais revenir au plus vite.

Je m'exécutai.

Je m'assis face à Max sans qu'il me le demande, et je sentis une légère admiration de la part des autres hommes.

Max me caressa le haut de la tête.

— Allez, va chercher la balle.

Je repartis en courant vers la balle de tennis, ralentis un peu devant le plot orange, Max m'encouragea :

— Allez !

En sortant du territoire, je ne me sentis pas très à l'aise.

Et je ne fus heureux que lorsque je retraversai la ligne imaginaire pour aller déposer la balle aux pieds de Max.

— Dans la main la balle !

Je la ramassai pour la lui poser dans la main.

Max se pencha sur moi.

— Les chiens n'ont pas de main !

Il laissa tomber la balle au sol.

Je regardais la balle, me demandant comment je pourrais l'attraper avec la bouche.

J'ouvris grand la gueule et réussis à la mordre sur un côté, puis la déposai dans la main de Max.

— Très bien.

Il me gratta le haut de la tête.

— Allez, couché maintenant.

Je me couchai.

— C'est à vous !

Pendant un quart d'heure, je regardai les autres maîtres envoyer la balle à leur chien, à l'intérieur et en dehors de notre territoire.

Evidemment, les chiens n'avaient aucun problème lors de la première partie de l'exercice, mais dès qu'il s'agissait de les empêcher de franchir les plots orange et les lignes invisibles, cela partait dans tous les sens.

Les maîtres hurlaient, couraient après leur chien, et l'un d'eux alla même jusqu'à plaquer au sol son propre chihuahua.

Max ne put se retenir de rire en me regardant, et je ris aussi.

Nous étions bien.

Après cela, Max demanda à tout le monde de s'asseoir en cercle, hommes et chiens.

Max et moi avions le privilège d'être au centre.

J'étais couché, et comme les autres, je regardais Max qui, debout, nous expliquait la suite de la leçon.

— Un chien peut apprendre un tas de « trucs »... On peut lui faire passer une à une les étapes du dressage classique... Vous pourriez aussi venir ici tous les samedis matin pendant un an, et vous verriez votre chien grandir plus vite qu'il ne vous écoute... Les autres éducateurs canins déclineront en vingt-cinq leçons les ordres de base, et ce que nous avons vu ce matin et la semaine dernière... Ce n'est pas ici que vous trouverez ce genre d'amateur...

Les hommes ont applaudi Max, certains ont sifflé avec leurs doigts, et les chiens ont aboyé la gueule en l'air, cela voulait dire qu'ils étaient heureux d'être entre de bonnes mains, qu'ils étaient du bon côté, et qu'ils n'étaient pas du genre à se faire avoir.

— ... On peut répéter à un enfant de se méfier du feu... Il ne sera jamais aussi prudent que s'il se brûle une première fois... Pareil pour le chien... Il ne vous aimera jamais autant que s'il vous défend un jour dans sa vie... Un chien qui vous défend n'est pas un chien qui attaque, c'est un chien qui vous sauve... Un chien qui vous sauve est un chien qui vous aime...

Max a fait quelques pas vers moi, il s'est penché et m'a caressé la tête. Il a continué à parler tout en passant la main dans mes cheveux.

— Vous pouvez vivre une vague histoire d'amour avec votre caniche à qui vous balancez des restes de gras de jambon devant la télévision... Mais ce même caniche... qui vous regardait gentiment, qui vous aimait bien parce que vous remplissiez sa gamelle, vous contemplera bientôt avec passion, dévotion, fierté, après la nuit où il aura sauté à la gueule d'un agresseur pour lui bouffer la joue...

Max avait mis une certaine ardeur dans la fin de son explication, je sentis sa main serrer ma tignasse, et les autres applaudirent une nouvelle fois, tant ils rêvaient que leurs chiens bouffent des gens par amour pour eux.

Il recommença à me caresser la tête avec douceur.

— Je ne suis pas là pour apprendre à votre chien à se transformer en paillasson, pour qu'il devienne un remède à vos solitudes, un objet de décoration, un cadeau aux enfants… Le chien est peut-être le meilleur ami de l'homme… Mais il est surtout sa prolongation… Son arme… Sa foi indestructible…

Max se rapprocha d'un homme assis à côté d'un chien de taille moyenne dont la race m'était inconnue.

— Levez-vous, monsieur, s'il vous plaît.

Le type se leva, il était aussi grand que Max.

— Comment s'appelle votre chien ?

— Gringo.

— Vous êtes espagnol ?

— Non.

— Pourquoi Gringo ?

— Je ne sais pas… c'est surtout ma femme qui a choisi !

— C'est le chien de votre femme ?

— Non… C'est le nôtre.

— Et vous, Gringo vous plaît ?

— Je sais pas… C'est drôle !

— Vous avez un chien pour être marrant ?

— Non !

— Vous voulez que les gens se marrent dans la rue quand vous appelez votre chien ?

— Non, je…

— Vous savez ce que veut dire Gringo ?

— Euh… C'est…

— L'étranger.

— Ah voilà !

— Est-ce que vous pensez que l'étranger vous protégerait en cas d'agression ?

— Je ne sais pas, il est encore jeune et…

Max poussa violemment l'homme en lui tapant sèchement la poitrine avec le plat de sa main. Cela ressemblait à un truc de militaires. L'homme recula sur deux mètres et perdit l'équilibre avant de tomber au sol.

Gringo couina, et enfonça un peu plus sa tête entre ses pattes en voyant son maître malmené ; puis il se leva pour tourner autour de son maître à terre et lui lécher le visage.

Max tendit sa main à l'homme pour l'aider à se relever et montrer que la démonstration était finie.

— Changez le nom de votre chien, ou ne venez plus à ce cours.

Max fit quelques pas devant les autres hommes assis.

Il s'arrêta devant l'un d'eux. Plus petit, fragile, le cheveu ras et les yeux cerclés de lunettes à fine monture. A côté de l'homme était assis un chien de petite taille, le poil aussi ras que le cheveu de son maître.

— Et vous ?

L'homme se leva d'un bond, il portait aussi un pantalon-treillis.

— Oui monsieur !
— Comment s'appelle votre chien ?
— Thor !
— Le nom d'un dieu !
— Un dieu guerrier !
Ils se sont mis à bouger la tête de haut en bas.
Thor se léchait l'entrecuisse.
L'homme a dit :
— Frappez-moi !
Il avait un sourire vicieux.

Max a poussé l'homme qui a exagéré sa chute en hurlant le nom de son chien, comme dans une scène filmée au ralenti dans un film de guerre.

Thor s'est redressé sur ses pattes en aboyant, il a tourné autour de Max en faisant des petits sauts, telle une danse d'intimidation.

Max est allé au-dessus de l'homme au sol et a fait semblant de lui balancer des coups de pied au visage et au ventre.

Thor n'en pouvait plus, il a fini par choper la cheville de Max que ça ne semblait pas déranger plus que ça et qui continuait à envoyer des coups de pied à l'autre, qui restait dans son personnage et hurlait comme un militaire mitraillé au Vietnam.

— Calmez votre chien.
— Suffit Thor !

Thor était déchaîné, il restait accroché à la cheville de Max et son corps valsait dans tous les sens.

— Dites à votre chien de lâcher prise.

— Lâche Thor!… Thor, lâche!

Thor ne lâchait rien, son maître s'est mis à quatre pattes pour sauter sur son chien et essayer de le détacher de la cheville de Max.

— Tu vas lâcher, putain de merde… Lâche la cheville maintenant, sinon…

Max a attrapé le chien par la peau de la nuque, et l'homme par le col de sa veste.

Il les a redressés tous les deux.

— Sinon quoi?

— Sinon rien, c'était pour qu'il lâche!

— Certains mots n'existent pas dans le langage canin… Et *sinon* en fait partie… On ne promet rien à un chien… Pas de futur… de menace… de chantage… Le présent, juste le présent.

J'ai aimé quand Max a dit ça, cela me paraissait la joie sur terre.

Max a filé son chien à l'homme, et Thor a essayé de bouffer la main de son propre maître.

L'homme a plaqué son chien au sol pour le corriger, mais Max a plaqué l'homme au sol.

— Pas de ça!

— Il a voulu me becter la main!

— Et vous pensez qu'en le battant il apprendra à ne plus le faire?

L'homme s'est relevé.

— Quittez mon cours!

— Pardon ?

— Prenez votre chien, et trouvez-vous un autre cours de dressage.

— Et les leçons que j'ai payées ?

Max n'a plus rien dit. Il fixait l'homme.

— Allez viens Thor !

Ils sont partis tous les deux, l'homme disait des choses mais il ne parlait pas assez fort pour qu'on puisse l'entendre.

Max est revenu au centre du cercle.

— Ce n'est pas tout d'apprendre à son chien à vous défendre, il faut aussi qu'il connaisse sa limite… Son territoire… N'oubliez pas ceci : Un animal n'agit qu'en fonction de son territoire… Le monde tel qu'il le voit, n'est fait que de lignes invisibles, délimitées par l'odeur, la chaleur, le pouvoir, et la voix de son maître.

— Chien, assis !

Je me suis assis, j'avais les jambes endormies et des fourmis dans les fesses.

Max a marché un peu devant les hommes, il s'est arrêté au-dessus de l'un d'eux.

— Quel est votre nom ?

— Patrick.

— Le nom de votre chien ?

— Pétrus.

— Comme le vin ?

— Oui.

— Vous aimez ça ?
— Beaucoup.
— Et le pétrus ?
— J'en ai jamais bu.
— C'est peut-être pas bon !
— Je sais pas.
— Levez-vous s'il vous plaît.

L'homme s'est mis debout. Il devait avoir dans la quarantaine et portait une chemisette de couleur jaune, dans le même genre que celle de E. Letteret.

Max a tourné le dos à l'homme et fait quelques pas devant lui.

— Attaquez-moi !
— Comment ?
— Attaquez-moi par-derrière !

L'homme ne savait pas trop comment s'y prendre, Max était vraiment immense.

— Sautez-moi dessus, bon sang, strangulation, par l'arrière.

Les gens ont souvent besoin d'accompagner leurs folies d'un cri plus puissant. L'homme en a poussé un très aigu de petite fille en sautant sur les épaules de Max.

Tout le monde me regardait et comptait sur moi pour défendre mon maître de cent trente kilos et deux mètres de haut et le débarrasser du garçon timide en chemisette jaune qui était accroché à son dos.

Max a dit :

— Chien !

J'ai fait ce qu'il fallait.

Sans trop d'effort, j'ai réussi à dégager l'homme et à le mettre au sol.

Je le tenais plaqué sur la pelouse, mes deux mains immobilisant ses bras, mes jambes paralysant les siennes.

Et alors que l'homme ne cherchait ni à se débattre, ni à opposer une quelconque résistance, cette chose a jailli de moi.

Cela venait d'abord du ventre, puis prenait toute sa force au passage de ma gorge, pour finir par apparaître dans un tremblement :

J'ai grogné.

L'homme a écarquillé les yeux, surpris et inquiet de cette menace sonore.

Il a voulu se dégager en remuant les bras, mais mon grognement s'est amplifié, il semblait même y en avoir deux, telle une polyphonie ; je le maintenais plus fermement au sol, et sans que je ne sente rien arriver, je me mis à lui aboyer plusieurs fois au visage.

Il fallut que Max intervienne pour que je libère ma proie.

— Chien !

J'allai le retrouver.

— Couché.

Je m'allongeai, sans quitter des yeux mon agresseur fictif.

J'avais mal à la gorge.

Elle me brûlait de plus en plus.

Ce n'était pas un mal résultant d'une maladie, ou le symptôme d'une souffrance à venir, c'était une douleur de création, de celles qui annoncent la naissance, la genèse d'un nouvel organe.

Ma bouche était complètement desséchée, et je sentais sur ma langue une pâte épaisse.

J'avais si soif. J'aurais voulu boire un lac, resté penché pour toujours sur une rivière fraîche.

Max m'apporta une gamelle remplie d'eau.

Il me sourit en la déposant devant moi, et me gratta le haut de la tête.

Il savait.

Connaissait mes changements avant que je ne les comprenne moi-même.

Et alors que je buvais en lapant directement l'eau avec la bouche, la tête enfoncée dans la gamelle, je sentis une reconnaissance infinie envahir chaque centimètre de mon corps.

J'aimais Max.

54.

Après le cours, Max dit au revoir à tout le monde et expliqua qu'il n'y aurait pas de leçon la semaine suivante car il devait s'absenter pour le week-end.

Nous restâmes un moment tous les deux.

Puis Max ramassa son filet et s'éloigna.

Je le regardai partir, j'avais le cœur serré, je ne comprenais pas qu'il puisse s'en aller comme ça.

J'aurais aimé qu'il m'emmène bien sûr, mais au moins avoir une caresse, un sourire, ou juste un regard.

Un nouveau petit bruit s'échappa de ma gorge.

Une sorte de couinement aigu. Une larme sonore.

Max s'arrêta et se retourna vers moi.

Je n'osais pas trop le regarder.

Je ne voulais pas qu'il ressente quoi que ce soit de négatif venant de ma part.

— Viens !

Je fonçai vers lui et m'assis à ses pieds.

— Tu as faim ?

— Mmm.

Les grognements m'avaient affamé.

— Allez !

Max reprit son chemin, je le suivais un mètre derrière.

Toute peine avait disparu.

55.

Max avait garé sa voiture, un 4 × 4 avec de larges autocollants *Max Attack* sur les portières, à la sortie du bois.

Il ouvrit le coffre, balança le filet, et se pencha sur moi.

— Monte !

Je sautai dans le coffre, tournai un peu pour trouver une place, et décidai vite de la position la plus confortable, le dos collé au filet du côté des vêtements rembourrés, la tête reposant sur mes avant-bras.

Max ferma la porte et alla s'installer derrière le volant.

Nous quittâmes le bois pour regagner la porte de Vincennes, puis la place de la Nation, jusqu'au magasin *Max Attack*, fermé le samedi matin.

Max ouvrit le coffre, je sautai sur le trottoir, et attendis qu'il sorte le filet du coffre et ouvre la porte du magasin.

A notre arrivée, les chiots et chiens enfermés dans les aquariums sans eau aboyèrent tous en chœur, chacun avec son timbre particulier.

Max claqua des doigts et le silence se fit aussitôt.

En suivant Max, et en passant près d'un enclos de verre, je remarquai que la plupart des chiots grognaient vers moi, et que les moins agressifs essayaient de me renifler en plaçant leur museau et leur truffe au-dessus du verre.

A ma première et dernière visite ici, les chiens s'étaient fait remarquer par une excitation qui exprimait leur enthousiasme et leurs rêves d'adoption.

Ils ne me voyaient plus de la même façon aujourd'hui.

Max me dit de le suivre.

Nous traversâmes le magasin, pour emprunter un escalier étroit qui menait à son appartement.

56.

Le petit deux-pièces était encombré de meubles, de plusieurs canapés et fauteuils, d'une multitude d'appareils électroniques, télévision écran plat, vieux poste à tube cathodique, lecteur DVD, lecteur VHS, chaîne stéréo, plusieurs tapis les uns sur les autres au sol, trop de chaises pour une table de taille moyenne sur laquelle s'accumulaient des piles de courriers, dossiers, dictionnaires, livres spécialisés sur les lévriers, dogue allemand, pinscher, bulldog, boxer, des sacs plastique remplis de déchets, d'ampoules neuves, de fusibles, de cordes, de produits d'entretien, des packs de bouteilles d'eau, de bières, de Coca-Cola, quelques lampes sur pied aux abat-jour jaunis et brûlés à certains endroits ; une chambre avec un lit une place et demie défait, une table de nuit avec un réveil en plastique rouge affichant deux heures de retard, des dizaines de vêtements, slips, maillots, pulls, chemises, chaussettes, bottes, sabots, ceinture, éparpillés au sol, des rideaux en velours marron intégralement fermés.

— Attends-moi là.

Max alla dans la cuisine, j'entendis un sac s'ouvrir et des croquettes que l'on versait dans un bol. Puis le grincement d'un robinet et le bruit de l'eau coulant dans une écuelle.

Il revint avec une gamelle en fer pleine de croquettes, et un bol d'eau.

Il déposa le tout près de la porte d'entrée.

— Va manger !

J'allai m'asseoir devant la gamelle et commençai à manger quelques croquettes en me servant directement avec la bouche.

C'était une marque et une variété différentes.

Leur goût était bien meilleur que celui de mes croquettes habituelles.

Je reconnaissais certaines épices de curry et de safran, des saveurs de gingembre et de basilic.

Je laissai quelques morceaux dans le fond de la gamelle pour ne pas avoir l'air trop impoli, et aussi parce que je n'arrivais pas à les attraper sans les mains, et bus de grandes rasades d'eau.

Max s'était assis sur l'un des fauteuils. Il me regardait. J'étais gêné et ne savais pas trop où me mettre.

— Viens !

Il tapota sur sa cuisse, j'allai m'asseoir devant lui.

Il tapota encore.

C'était une nouveauté dans notre relation qui changeait des *assis-couché-debout*, et j'avais l'impression d'acquérir une nouvelle fonction.

Je me redressai sur mes genoux, et posai mes avant-bras sur ses cuisses.

Max attrapa ma tête entre ses grosses mains et me frotta les joues énergiquement. Puis il passa la main dans mes cheveux plusieurs fois et m'embrassa le front.

— Bon chien !

Il se leva.

— Viens !

Je le suivis à quatre pattes jusqu'à sa chambre et devant une armoire qu'il ouvrit.

Max fouilla un peu dans les étagères les plus hautes, je remuais la tête, essayant de comprendre ce qu'il cherchait.

Il attrapa un gros coussin marron cerclé d'un rebord molletonné d'une trentaine de centimètres de hauteur.

Max installa le coussin près de son lit, du côté qui semblait être le sien.

— Tu dormiras là.

Je m'approchai du coussin.

L'odeur d'un autre chien s'en dégageait fortement, et en m'approchant davantage, je découvris des centaines de poils blancs et noirs sur le tissu.

Max enleva ses chaussures et s'allongea sur le lit.

— Je vais dormir vingt minutes… Je dors toujours un peu avant d'ouvrir le samedi après-midi.

Il s'installa sur le dos, les bras repliés sur son ventre et ferma les yeux.

Je restai assis un moment, puis allai aussi m'allonger sur mon coussin, tournant en rond pour trouver ma place, d'abord sur le flanc gauche, puis le droit, et finalement sur le ventre.

57.

Max gardait les yeux fermés pour parler. Sa voix était lointaine, au ralenti, chaque mot prononcé semblait avoir été ramené du rêve à la réalité.

Je l'écoutais dans mon coussin :

— Tu es le premier à être venu ici… Depuis que Dick est parti… Cela fait deux ans… J'aurais pu prendre un autre chien… J'en vois passer des centaines chaque année… Mais je crois que j'attendais que Dick revienne… Je ne pense pas qu'il soit mort… On m'aurait prévenu… Il avait une puce électronique… Je ne pense pas qu'il soit mort… Même si les puces électroniques ne sont pas toujours fiables… Il me suivait partout… Un matin, je me suis réveillé, il n'était pas dans son coussin, nulle part dans la maison… Il savait ouvrir les portes… Parfois, il sortait seul, pour se promener, faire ses besoins… C'était un chien indépendant, magnifiquement intelligent… Il a dû sortir pendant la nuit… Se perdre… Etre adopté par des clochards… Enlevé… J'espère qu'il ne s'est pas noyé… Qu'il n'a pas été écrasé sans qu'on puisse l'identifier…

Max a ouvert les yeux, il se réveillait de sa sieste par étapes.

— … Je ne peux pas remplacer un chien comme ça aussi vite… Dick était particulier…

Il tourna la tête vers moi.

— Toi aussi tu es particulier, hein ?

— Mmm.

Il tapota sur le haut de sa jambe, je sautai sur le lit et trouvai une place contre lui.

58.

Avant d'ouvrir le magasin, Max choisit plusieurs colliers que j'essayai les uns après les autres.

Je voyais qu'il cherchait ce qu'il y avait de meilleur pour moi.

La circonférence de mon cou était singulière, trop petite pour les colliers adultes, trop grande pour les juniors.

Max se résolut à ajouter un trou supplémentaire dans un collier adulte. Puis il découpa la bande de cuir qui dépassait.

Mon collier était en cuir rouge avec un anneau chromé.

Je passais l'après-midi du samedi couché derrière la caisse aux pieds de Max.

Beaucoup de clients entraient, mais jamais pour acheter un chien, la plupart venaient s'attendrir devant les bêtes, leur caresser la tête, et leur donner des surnoms débiles.

Max levait les yeux dans leur direction et soufflait en tournant la tête de gauche à droite.

La première fois que j'avais rencontré Max, dans ce même magasin, il m'avait parlé d'un fusil, qu'il s'empêchait d'aller chercher derrière sa caisse pour tirer des balles dans la tête des gens.

De ma place derrière la caisse, je constatais la présence réelle du fusil, et j'observais chaque client comme potentiellement mort, surtout l'un d'eux qui attrapa un chiot dans ses bras et le leva en l'air en le secouant et en l'appelant *mon bébé!*

Max posa sa main sur la crosse et un doigt sur la détente.

Les chiens enfermés étaient très jeunes, la plupart ne devaient pas avoir plus de six mois.

Au début, ils me regardaient avec curiosité, essayant de me renifler au loin, grognant, ou au contraire, remuant la queue et tournant sur eux-mêmes, pour se réjouir de ma présence.

Seuls deux chiens eurent un comportement différent à mon égard.

J'avais déjà remarqué le premier, lorsque j'étais venu acheter mon chiot. Il m'était apparu comme le chef de la bande. Le plus fort. Le plus cabossé.

Et même les êtres de quelques mois portent les traces profondes de leur passé.

J'appris qu'il s'appelait Paco. Au moment où un client voulut lui caresser la tête, Paco lui croqua la main. Max hurla son nom, afin qu'il la lâche. Le client s'excita, la main en sang, en disant qu'il voulait porter plainte.

Max lui répondit :

— Vous porteriez plainte contre le serpent qui vous mord dans sa jungle ?... Le lion dans sa savane ?... Le requin dans son océan ?

Le client ne dit rien, le sang coulait sérieusement.

— Allez barrez-vous !

Après le départ du client, Max reprit tranquillement la lecture de son magazine, et Paco resta assis, continuant à me fixer avec calme et sérieux.

Parfois, j'osais lui jeter un regard, je lui souriais, et Paco restait figé, telle une statue, sans amour ni colère.

Si Paco m'impressionnait autant, c'est que ses yeux semblaient être des fenêtres ouvertes sur le jardin sauvage de son âme.

C'était un bâtard, le poil ras et beige, le corps maigre et ferme, comme ceux qui garderont éternellement la carence de leur sous-alimentation.

En fait, Paco et moi nous ressemblions, sauf que son regard était plus humain que le mien.

L'autre chien qui me parut différent se comportait à l'exact opposé de Paco.

Il restait calmement allongé au fond de l'aquarium, collé contre la vitre épaisse, la tête reposant sur ses pattes, il me jetait quelques regards timides, fermant parfois ses paupières avec la tendresse d'un nouveau-né.

J'eus aussi l'impression qu'il me sourit plusieurs fois et m'envoya quelques clins d'œil.

Lorsque je ne pouvais plus soutenir le regard puissant de Paco, j'allais trouver le repos et la douceur dans les yeux de l'autre chien.

Et il me fallut l'après-midi entier pour comprendre que c'était une chienne.

59.

Max ferma le magasin à 19 heures précises, et nous montâmes à l'étage.

Je fus gêné de laisser les autres chiens dans leur enclos de verre, alors que je savais qu'un moelleux coussin en velours m'attendait.

La soirée passa tranquillement. Max se prépara à dîner, une demi-douzaine de côtelettes d'agneau, des pommes de terre sautées, et il ouvrit une bouteille de vin rouge.

Je restai dans la cuisine, allongé près du frigidaire.

Dans le salon, Max alluma la télévision et choisit un programme de divertissement, dans lequel des célébrités devaient relever les défis que leur proposait l'animateur.

Le public s'esclaffait et applaudissait dès qu'un invité tombait dans une piscine, ou glissait sur un sol couvert d'œufs, d'huile et de farine.

Max s'assit à la table en face de la télé pour dîner, je me couchai à ses pieds.

Dès qu'il finissait une côtelette, il m'envoyait l'os et je terminais le travail, rongeant, léchant, croquant.

Depuis longtemps, je n'avais rien mangé d'autre que des croquettes et l'os recomposé que m'avait offert le chien voisin, et ces côtes naturelles me semblaient tout droit sorties d'un agneau du jardin d'Eden.

Max resta à table encore une heure, il but la bouteille de vin en entier tout en regardant l'émission de télé.

Il alla dans la cuisine, où je le suivis, et ouvrit une autre bouteille de vin, puis retourna s'asseoir.

Max regardait la télévision sans aucune attention, il n'était ni amusé, ni même concerné par ce qu'il s'y passait, et la notion de divertissement n'avait aucun effet sur lui.

Je le surpris même plusieurs fois en train de regarder ailleurs, l'œil mi-clos, attaché à une tristesse invisible, flottant dans l'appartement.

A la fin de l'émission et de la deuxième bouteille de vin, Max éteignit le poste et les lumières.

— Viens !

Nous allâmes dans la chambre, il se déshabilla et se coucha à sa place dans le lit.

Je retrouvai mon coussin, et Max plongea la chambre dans l'obscurité.

J'entendais son souffle lourd aller et venir, et l'odeur du vin se répandre parfois.

— Tu es le troisième… Avant Dick, j'ai eu un autre chien… Il y a eu Dick… Et avant, Sultan… Beau chien… Pure race… Dick était un dogue allemand… Sultan un magnifique rottweiler…

J'entendais le sommier de son lit grincer lorsqu'il bougeait.

— Toi je ne sais pas ta race… Sûrement du border collie quelque part…

Je ne savais pas à quoi ressemblaient les chiens dont il parlait, mais j'aimais l'écouter au cœur de la nuit.

— Sultan !… Lui aussi est parti… Avec ma femme… Enfin, elle l'a emmené quand elle s'est cassée… Bon débarras… Elle avait fait de ce chien une vraie gonzesse, un rottweiler qui devient un bichon femelle !...

Il riait et le lit grinçait en écho.

— Tout le monde est parti... Tout le monde est parti... Je partirai... tu partiras... il partira... nous partirons...

Il conjugua le verbe partir plusieurs fois au présent et au passé, et cela finit par nous endormir.

60.

Je me réveillai dans la nuit. La chambre me sembla plus claire qu'au moment où je m'étais endormi.

Max dormait profondément, son souffle s'était ralenti.

Après quelques secondes, j'entendis des sortes de petites voix, semblables à celles d'enfants.

Ce n'était pas des mots.

Cela ressemblait à des chants.

Mystérieux.

Et tristes.

C'était des pleurs.

Ceux des chiots et des chiens qui pleuraient en bas.

Je me levai et traversai discrètement la chambre à quatre pattes, puis le salon jusqu'à l'escalier menant au rez-de-chaussée, tel un marin égaré attiré par des sirènes.

Lorsque j'arrivai dans le magasin, les chiens remplacèrent leurs sanglots et gémissements par des gazouillis de joie et d'excitation.

J'étais leur soleil dans la nuit. Celui qui rassure par sa présence immédiate.

Je m'assis au milieu du magasin, entre les trois aquariums de verre.

La plupart des chiens vinrent se réfugier le plus près possible de moi, m'envoyant leurs petites têtes, et leurs coups de langues, de museaux et de pattes.

Seul Paco restait à l'écart, assis bien droit sur ses deux pattes arrière, l'œil aussi perçant la nuit que le jour.

Par réflexe, je cherchai immédiatement la chienne.

Elle était allongée à sa place, m'attendant du regard avec la même tendresse.

Paco aboya.

Un aboiement sec, grave, qui m'appelait.

D'un mouvement de tête, il m'indiqua une direction.

Je suivis l'axe de son regard et tombai sur la fenêtre.

Il voulait que je l'ouvre.

Paco pouvait me faire comprendre ce qu'il désirait.

Ce n'était pas de la télépathie ou je ne sais quelle autre forme de communication spirituelle, il s'agissait d'une langue différente, physique, celle de l'instinct, des sens, du présent.

Que se passe-t-il maintenant ?
Que cherchons-nous ?
Le vent te parle-t-il aussi ?

Ce n'était plus le langage de la société, mais celui de la nature.

Il ne voulait pas que j'ouvre la fenêtre pour s'enfuir. Il n'était pas de ces lâches qui quittent le navire au milieu de la nuit en se jetant du bord, abandonnant leurs frères de galère. Il avait sa place ici, il était le chef ; le médiateur qui, par son calme et son contrôle, rassurait la tribu.

Il trouvait la chaleur étouffante et s'inquiétait pour une bande de six jeunes chiots à peine sevrés qui suffoquaient dans un coin.

J'allai ouvrir la fenêtre et remuai un moment les deux montants pour créer une sorte de courant d'air.

Je retournai m'asseoir à ma place.

Paco me fit un signe de tête pour me remercier.

Je remarquai que la plupart des gamelles d'eau étaient vides, et notamment celle des plus jeunes chiots.

Je récupérai les gamelles et allai les remplir une par une au robinet près des sanitaires.

Je déposai les gamelles à plusieurs endroits dans chaque aquarium.

Les jeunes chiots, accablés par la canicule artificielle, eurent du mal à se mettre sur leurs pattes pour se pencher autour du récipient chromé.

Je les aidai.

Les autres chiens allèrent boire deux par deux, suivant une organisation silencieuse et bien précise, qui donnait la priorité aux plus jeunes chiens, puis aux plus vieux, puis aux plus gros…

Je remarquai que Paco ne buvait pas.

Il regardait les autres faire, et préservait par son autorité tranquille le bon fonctionnement des opérations.

Lorsque ce fut au tour de la chienne douce et souriante d'aller boire, je la regardai se lever ; elle marchait avec une grâce merveilleuse, presque au ralenti, ses épaules montant et descendant comme des vagues.

Après avoir bu, elle s'assit près de Paco et ils me regardèrent tous les deux.

Dans le langage de la nature, Paco me fit comprendre qu'il était ici depuis trois mois, il n'avait jamais appartenu à personne, la portée dont il était issu ayant été abandonnée dans une forêt à la sortie de Paris. Il avait vu ses frères et sœurs mourir les uns après les autres, et décidé de retourner dans la ville pour se nourrir.

La fourrière l'avait ramassé, et une semaine plus tard, Max l'avait récupéré et amené ici pour le vendre.

La chienne s'appelait Dina, mais les autres l'appelaient *La Blanche*, surnom dû à son poil sans autre couleur.

Elle n'était là que depuis un mois, subissant la séparation de sa famille. Ses maîtres se disputant au début pour la garder, décidèrent finalement de s'en séparer pour de bon.

Le calme était revenu, la plupart des chiens dormaient et les plus jeunes chiots rêvaient, affalés les uns sur les autres.

Paco me fit un signe de tête pour me dire qu'il valait mieux que je remonte à présent.

Max n'aimerait sûrement pas me savoir ici.

Ma place était sur le coussin en velours marron.

61.

J'avais du mal à retrouver le sommeil. Toute notion d'heures avait disparu, et je ne vivais plus qu'au rythme du coucher et lever du soleil.

Cette métamorphose du temps avait des effets rapides et puissants sur ma mémoire.

Je sentais les choses s'effacer progressivement, et il me fallait faire de plus en plus d'efforts pour me rappeler certains êtres et événements, dont quelques-uns n'étaient pas si lointains.

Le visage de mon père.

La maison de notre enfance.

Mes professeurs aux Beaux-Arts.

Quelle couleur résultait du mélange du vert et du rouge ?

Le nom des couleurs.

Comment s'appelait le jeune prodige numérique embauché la semaine passée à l'endroit où je travaillais ?

Etait-il le fils ou le neveu de mon patron ?

Le prénom de mon patron.

Savais-je moi-même conduire une voiture ?

Où vont les voitures ?

Y avait-il eu d'autres femmes avant ma femme ?

Comment étaient les mains de ma femme ?

Et son dos ?

Je crois que j'aimais son père.

Les visages se mélangeaient.

La nature poussait dans la ville, comme une forêt vierge envahit les immeubles et les esprits.

Je m'accrochais à l'essentiel, mon rendez-vous avec E. Letteret lundi matin à 8 heures. Et, apporter la pomme de pin au chien de notre voisine.

Je m'endormis en pensant à mon fils.

62.

Lorsque je retrouvai Max au lever du soleil, il était dans la cuisine, déjà habillé, et assis à la petite table devant un bol de café.

Il ne me jeta pas le moindre regard.

Il se leva, emplit ma gamelle de croquettes et mon écuelle d'eau du robinet.

Je commençai par boire un peu d'eau, puis attaquai mon repas.

— Ne fais pas autant de bruit avec cette bouffe !

Je relevai la tête, Max ne me regardait toujours pas, il but une gorgée de café.

Je continuai à manger, essayant de sucer les croquettes avant de les mastiquer pour atténuer les bruits.

— C'est toi qui as ouvert la fenêtre du magasin cette nuit ?

Je relevai la tête.

— C'est toi ?

Je ne comprenais pas de quoi il parlait. Je n'avais pas de souvenir de cette nuit.

— Assis !

Je m'assis, mon visage arrivait à hauteur de la table.

— Tu ouvres la fenêtre la nuit ?

Cette question n'attendait pas de réponse. Max restait fixé vers l'avant, sa peau se tendait et violaçait à mesure qu'il parlait.

— Tu ouvres la fenêtre la nuit ?… Tu te lèves la nuit ? Tu descends dans le magasin ?

Max était totalement violet lorsqu'il se tourna vers moi.

Son visage était tendu comme la peau d'un tambour et il ne pouvait pas fermer la bouche.

— Tu ouvres la fenêtre du magasin la nuit ?

J'avais du mal à soutenir son regard, je m'affaissai sous la table.

— Espèce de… sale chien…

Max envoya un coup du revers de la main dans son bol de café qui voltigea et se fracassa contre le mur. Il se leva d'un bond, mon front se retrouva collé contre ses genoux.

Nous restâmes un moment ainsi, je sentais le tissu de son pantalon contre ma peau.

— Fous-moi le camp !

Je déguerpis en vitesse et trouvai refuge sur mon coussin en velours.

— Sale chien !

J'entendis ma gamelle valdinguer dans la cuisine, et le bruit de mes croquettes s'éparpiller, la chaise racler le sol et Max s'asseoir.

Paco aboya deux fois, en bas, dans le magasin.

Cela m'était destiné, il me faisait comprendre de ne pas bouger. De laisser passer la colère le temps qu'il faudrait.

Je ne bougeai pas d'un millimètre sur le coussin, mes yeux et mon attention complètement tournés vers la cuisine.

Au bout d'un temps, indéfini pour moi, j'entendis Max se lever et son pas lourd se rapprocher.

Lorsqu'il débarqua dans la chambre, je remarquai tout de suite qu'il ne s'était pas calmé.

Il vint se placer au-dessus de moi.

— Tu ne fais pas ce que tu veux… Tu te crois ici chez toi… Je t'offre un toit, de la nourriture, mon amour… Et toi, tu me remercies avec du mépris, du manque de respect… Tu mériterais que je te corrige… Que je te chasse… Tu comprends… Et si quelqu'un était entré dans le magasin cette nuit, quelqu'un qui aurait volé des choses, fait du mal aux bêtes…

Mon cœur battait plus vite à mesure qu'il parlait. Je comprenais mal ce qu'il me disait, mais j'étais sûr qu'il avait raison d'être en colère. Ma faute avait dû être terrible. J'aurais tout donné pour qu'il se calme, redevienne mon ami, comme avant.

En bas, Paco aboyait, sans s'arrêter, il cherchait à détourner l'attention de Max afin qu'il ne me querelle plus.

Max s'approcha de moi, j'eus l'impression que sa peau retrouvait une couleur naturelle.

Il me chuchota sèchement :

— Les choses marchent avec mes règles et si tu ne les respectes pas…

Il se redressa et resta encore un moment à me fixer.

Je gardais la tête baissée dans mon coussin, Paco aboya à nouveau.

Max descendit au magasin.

Les chiens s'excitèrent.

Il claqua des doigts.

63.

Je restai une bonne partie du jour couché sur le coussin.

Je changeais rarement de position, et lorsque cela arrivait, je le faisais avec une lenteur extrême, déplaçant d'abord un membre, puis un autre, adoptant ma nouvelle posture comme l'on pose les briques d'un mur.

Paco aboya, je relevai la tête, il me prévenait que Max arrivait pour me voir.

Je me redressai dans mon coussin pour l'attendre.

Lorsqu'il entra dans la chambre, je sentis un frisson traverser mon cœur.

— Allez, viens !

Je n'en revenais pas. Il m'aimait à nouveau. Comme avant. J'aurais voulu le prendre dans mes bras, le serrer de toutes mes forces, courir autour de lui pour l'envelopper d'un nuage d'amour.

Dans la salle de bains, Max me donna un coup de peigne, puis il se déshabilla et se rasa face au miroir.

Dans la chambre, il enfila une chemise blanche et propre et un pantalon en tissu noir.

Assis sur le lit, il chaussa des mocassins en cuir marron.

Nous quittâmes l'appartement, et lorsque nous traversâmes le magasin pour en sortir, Paco aboya dans ma direction pour me dire de rester sur mes gardes.

Avant de sortir, je cherchai Dina du regard, elle était à sa place et m'envoya l'un de ses clins d'œil.

Je lui répondis.

64.

Max et moi avons pris la voiture, traversé Paris, puis un quartier bétonné et désert dans lequel avaient poussé des tours de verre. Au sommet des tours, des enseignes en néon indiquaient leurs noms : *TOTAL, EUROPE, AREVA, AURORE, AXA*, et la plus haute : *GDF SUEZ*. Nous avons ensuite longé une forêt pendant quelques centaines de mètres. J'aurais aimé que l'on s'y arrête, mais nous la quittâmes vite pour gagner la proche banlieue et nous rendre dans un immeuble où vivait une vieille femme qu'il appelait maman.

La décoration de son appartement ressemblait beaucoup à celle de chez Max, mais ici, tout paraissait plus vieux. Le désordre, les piles de courriers et de magazines sur la table, la poussière, la lumière que tentaient de filtrer d'ex-rideaux blancs ; et alors que personne ne fumait, une odeur de tabac flottait encore dans l'air, comme si un fantôme continuait de tirer sur sa clope.

Max s'assit sur le canapé en cuir, en face de sa mère qui avait l'habitude du fauteuil.

Je m'allongeai entre les deux, mais plus près de Max quand même.

La vieille femme ne devait pas mesurer plus d'un mètre quarante, sa peau sèche et ridée me rappelait un papier à lettres japonais, qu'il me semblait avoir touché autrefois.

Elle me regardait la tête penchée.

— Il est pas gracieux celui-là !

— Maman !

— Ben, il est pas beau ! On peut le dire, non ?

— Oui.

— On dirait un… chien malade… Il a pas de poil… que sur la tête… C'est quoi comme race, ça ?

— J'en sais rien.

— T'en sais rien… T'es dans les chiens et t'en sais rien ! Ben en voilà une affaire !… Tu me diras ton père, il fabriquait des clous, ben quand y s'agissait d'en planter un, il était pas foutu… C'te con ! … Ton père… Il me manque pas çui-là !… Alors ce chien, comment on l'appelle ?

— Chien !

— Quoi Chien… C'est pas un nom ça, Chien… C'est sa marque… Tu vas bien y trouver un nom quand même à c'te bête-là ?

— J'en sais rien maman.

— Ah ! Il a pas de race, il a pas de nom !

Elle s'est baissée vers moi et m'a fixé un moment.

— Moi… Moi je l'appellerais… Dick !

— C'était le nom de mon ancien chien !

— Oui, ben lui il était beau, et gentil, il faisait pas peine à voir comme c'te viande-là !

Elle restait penchée en avant mais l'attention tournée vers son fils. Elle ne devait pas bien entendre car elle parlait trop fort.

— Comment il est mort déjà le Dick ?

— Il est peut-être pas mort, il s'est perdu.

— Il s'est perdu mon cul… Il s'est tiré oui !

— Mais non !

— Mais si mon petit… Tu l'avais beigné encore, çui-là… T'as jamais pu t'en empêcher… Des fois tu les aimes bien tes bêtes, et puis, un coup dans le nez, un coup de colère, et vlan !… tu les beignes… Comme l'autre là… le dernier…

— Sultan !

— Tiens, le Sultan, c'est pareil !

— Mais non, c'est Béatrice qui l'a emmené quand elle est partie !

— Ben elle aussi tu l'as beignée !

— Arrête !

— Je suis pas folle hein ! Je l'ai vue avec son œil en biais ! Elle était gentille la Béatrice, comme Dick et Sultan… T'as jamais pu t'en empêcher… Tout petit déjà, t'étais cruel… Quand on t'emmenait à la plage avec papa… des journées entières tu les torturais ces pauvres lézards… t'étais une vraie légende pour eux !… On te disait : Va jouer avec les autres de ton âge... Mais toi tu préférais rester dans les rochers avec tes lézards, à les brûler et les couper en deux...

— J'aime mes bêtes !

— Tu les aimes, mais eux ils finissent par plus t'aimer... C'est quand même quelque chose ça, qu'un gosse cruel comme toi, il soit dans le chien aujourd'hui !

Je ne comprenais pas trop ce qu'ils racontaient, mais j'étais bien sur le tapis de cette vieille femme. Parfois elle se penchait davantage vers moi pour me dire :

— T'es mal tombé, mon pauvre chien !

Même si je ne comprenais pas de quoi elle parlait, je relevais la tête pour lui montrer que je n'étais pas impoli, et que Max n'ait pas honte devant sa mère.

65.

En rentrant, nous avons pris une autre direction. Je l'ai compris quand nous avons traversé la forêt sur plusieurs kilomètres.

Max s'est arrêté sur un chemin un peu à l'écart de la route principale. Il a coupé le moteur et je me suis redressé dans le coffre.

J'ai regardé Max qui restait assis derrière son volant.

J'ai pensé que nous étions ici pour profiter un moment de la nature, lancer quelques balles et nous promener.

— Reste tranquille !

Max a ouvert sa portière pour sortir de la voiture et l'a verrouillée.

Je l'ai regardé s'éloigner dans les bois.

A nouveau, un couinement a jailli de ma gorge.

Et lorsque Max disparut complètement derrière les feuillages, je sentis mon cœur se vider, un vent d'hiver se lever dans mon corps.

Je ne sais pas combien de temps je restai seul dans la voiture, mais tant que le jour brillait, ce n'était pas terrible.

J'escaladai le fauteuil devant moi, la banquette arrière portait l'odeur et les mêmes poils que mon coussin de velours.

J'y passai un moment. Assis, le bout du nez collé contre la vitre, oubliant la forêt devant moi et guettant le moindre signe du retour de mon maître.

Je décidai de m'installer à sa place derrière le volant.

J'étais mieux ici, dans ce qu'il avait pu laisser de présence. Je me contentais des restes de son odeur, des traces de sa sueur sur le dossier de son fauteuil, comme les vivants se rassurent d'un linceul.

Je trouvai une façon de m'allonger pour me perdre dans ces effluves, fermer les yeux et m'endormir pour oublier l'absence et le temps.

Le bruit de la portière me réveilla en sursaut.

Joie : Max était là, de bonne humeur, vif et souriant.

— Qu'est-ce que tu fous là toi !

Tristesse : Il n'était pas seul, une jeune femme l'accompagnait.

— C'est mon chien !

La jeune femme avait de longs cheveux noirs, sur ses lèvres, du rouge bavait, et le reste de son maquillage coulait autour de ses yeux.

— Il est pas méchant ?

Elle avait une voix d'homme, plus grave que celle de Max, et un accent.

— Mais non, il est brave.

Max me caressa la tête.

— Vas-y !

Il proposait à la femme de me donner la même caresse, j'avançai la tête pour l'inviter à le faire.

Ses mains étaient immenses et larges, ses ongles rongés portaient un vieux vernis écaillé.

Max et la femme à la voix grave semblaient se connaître car ils se tutoyaient, mais en les voyant, on aurait juré qu'ils se rencontraient pour la première fois.

— Tu veux te mettre où ?

— A l'avant.

— Y a ton chien !

— File derrière !

Il me donna une petite tape amicale sur les fesses, et même si je n'avais pas envie de les quitter, j'allai mollement escalader les fauteuils pour retrouver ma place dans le coffre.

Max et la jeune femme s'installèrent à l'avant.

Je restai assis à les regarder.

J'avais chaud et je devais ouvrir la bouche pour respirer.

Max voulu embrasser la jeune femme mais elle le repoussa.

— T'oublies rien ?

— Ah oui.

Il sortit un billet de son portefeuille et l'offrit à la jeune femme, je reconnaissais toute la générosité de mon maître, et pensais qu'elle ne méritait pas vraiment ce cadeau ; je n'aimais pas son ton et ses manières.

Max embrassa la jeune femme, il y mettait beaucoup d'ardeur, alors qu'elle bougeait à peine, restait enfoncée dans son fauteuil et gardait les bras le long de son corps.

Max se dégagea.

— Ça va pas ?

La jeune femme se retourna vers moi.

— C'est ton chien !

— Quoi ?

— Je sais pas, il est bizarre... On dirait pas un chien !

— On dirait quoi ?

— Je sais pas...

Max me regarda, mon souffle s'accéléra dans ma bouche ouverte.

— Couché !

Il me dit ça avec autorité, je me couchai de l'autre côté.

— C'est mieux là ? Tu veux que je ferme les rideaux, que j'ouvre une bouteille de champagne, que je foute de la musique classique !

— Ta gueule, allez, vas-y !

Quelle femme stupide pensai-je, Max lui propose toutes ces choses délicieuses, et elle ne répond que par vulgarité et désenchantement.

J'entendais leurs baisers, leurs vêtements s'ouvrir et glisser sur leurs corps.

Puis le silence lourd de la forêt abandonnée au vent, mêlé parfois aux piaillements des oiseaux et aux gémissements de Max.

Je me redressai pour m'asseoir.

Je jetai un coup d'œil vers Max pour m'assurer que ses petits bruits étaient le résultat d'un plaisir et non d'une violence.

Il était à sa place, le dos enfoncé dans son dossier, une main agrippée à la tête de la jeune femme penchée sur lui, exécutant une sorte de prière sur mon maître.

Max surprit mon regard dans le rétroviseur.

— Chut !

Je me retournai vers la fenêtre.

De ce côté, la forêt était bien plus belle.

Je ne l'avais pas remarqué plus tôt, trop obsédé par le retour de Max.

Mais à présent, je pouvais me laisser aller à cette contemplation, rassuré par sa présence, que je ne pouvais oublier puisqu'il continuait de gémir, et de plus en plus fort.

La vue donnait sur une magnifique clairière, dont le sol couvert de fougères était coupé en deux par l'ombre et la lumière. Cette frontière lumineuse et naturelle ne semblait pas venir du ciel mais de la nature elle-même, qui décidait quelle clarté lui était nécessaire.

Les arbres qui l'entouraient et dessinaient son architecture ressemblaient à une famille, mélangeant leurs racines rampantes sous la terre, et leurs branches au sommet, pour former un toit en partage avec le ciel.

La voiture se mit à bouger plus sérieusement. Je n'osais pas me retourner.

— Tiens, fous-toi sur la banquette arrière, je vais incliner le siège avant.

La jeune femme se retrouva à genoux sur la banquette, les mains accrochées au dossier, et son visage très près du mien, orienté dans le même sens, vers la clairière.

Désormais, nous étions deux à profiter de la vue, et je me réjouissais secrètement de savoir que la jeune femme serait bientôt émue.

Après avoir fait une prière dans un mouvement allant de haut en bas, la jeune femme en exécutait maintenant une autre allant de l'avant vers l'arrière.

— Vas-y mon bébé.

Je ne comprenais pas cette femme qui pouvait appeler Max *son bébé*, alors qu'elle venait de lui demander de fermer sa gueule.

Pour ma part, j'aurais aimé lui parler de la clairière. Lui dire à quel point l'endroit m'était familier.

Pendant que la jeune femme continuait ses va-et-vient, j'ai pensé à Dina et Paco. Je nous ai imaginés ici, jouant avec les ombres projetées et mouvantes, couchés sur un lit de mousse. Je regardais Dina s'avancer jusqu'au centre de notre maison, s'asseoir dans le vent et revenir vers moi, pleine d'amour, me remerciant d'avoir changé son aquarium de verre contre une forêt d'arbres.

Et Paco, mon frère, arriver en courant de je ne sais quel fourré, impatient de nous montrer un coin à poissons dans une rivière sauvage.

— Ahhhh… salope!

Max s'écroula à l'arrière de la voiture. Je ne pus m'empêcher de me retourner pour m'inquiéter de lui.

Il restait couché sur le dos de la jeune femme, respirant vite et fort.

La jeune femme était immobile, le souffle normal, elle me regardait.

— Il est bizarre, ce chien.

66.

Lorsque nous arrivâmes au magasin, la chaleur était encore plus étouffante. Les chiens s'excitèrent à peine. Seul Paco était assis à sa place, droit et fier comme à son habitude.

Je remarquai que les gamelles étaient vides, et je n'avais pas souvenir que Max les ait remplies ces deux derniers jours.

Je cherchai Dina, elle était endormie dans un coin, comme assommée et incapable du moindre effort.

A mon passage, Paco aboya. Il voulait que je redescende lorsque Max serait endormi. Il avait des choses à me dire.

Dina ouvrit les yeux et d'un léger mouvement de tête, me fit comprendre que la situation était grave. Instinctivement, je jetai un œil à la portée des plus jeunes chiots. Ils ne bougeaient plus, les uns sur les autres, ils semblaient avoir formé un seul corps pour partager leurs dernières forces.

Je restai la fin de la journée couché devant la fenêtre du salon à attendre que la nuit arrive.

Lorsque Max se prépara à dîner et que j'entendis s'ouvrir le sac de croquettes, je fis semblant de m'y intéresser en allant le retrouver dans la cuisine.

Je mangeai à peine.

— T'as pas faim!... Je sais ce que tu veux... T'as envie que je te refile ma bouffe à moi, hein?

Mais en vérité, je me fichais de ses travers de porc qui grillaient dans la poêle, je ne pensais qu'à retrouver Paco et Dina.

67.

Quand le lit ne grinça plus et que la respiration se fit lourde et constante, je décidai de quitter mon coussin de velours pour descendre au magasin.

Encore une fois, je fus cueilli par la fournaise, et sans que Paco ne me demande quoi que ce soit, j'allai naturellement ouvrir la fenêtre et remplir les gamelles d'eau au robinet.

Paco me regardait et suivait de la tête le moindre de mes mouvements.

Les chiens arrivaient à peine à se mettre sur leurs pattes, et la société, si bien organisée la nuit précédente, avait du mal à trouver ses repères à présent.

Je m'assis face à Paco.

Il aboya avec douceur et chacun de ses aboiements était une phrase que je comprenais parfaitement.

J'appris en écoutant.

(Dans le langage de la nature, les échanges étaient réduits au minimum. L'équilibre entre les sons, les fréquences et l'émotion.

Les paroles venaient d'hier ou de demain.

Dans le langage de la nature, le présent existait peu ou n'importait pas.

On racontait des choses du passé.

Ou l'on se prévenait du futur.)

Du premier aboiement, Paco me dit ceci :

— Les jeunes chiots vont mourir, ils n'ont pas été nourris correctement depuis leur arrivée.

Du deuxième et troisième aboiement :

— Nous allons devoir sortir d'ici et trouver un endroit pour eux… Tu nous aideras.

Du quatrième aboiement :

— Tu t'étais attaché à Max, comme avant toi l'avaient fait d'autres chiens, mais ils n'ont pas eu d'autres choix que de fuir, pour éviter la violence et les coups, viendra le moment où tu fuiras toi aussi…

Du cinquième aboiement :

— Nous t'attendions, Dina l'a dit dès qu'elle t'a vu, nous ne vivrons ici que pour mourir.

Dina était restée allongée, elle me regardait.

La lumière s'alluma soudainement et Max apparut dans toute sa masse, enragé, violet, fonçant sur moi tel un taureau dans l'arène.

Je restai figé, aussi surpris que tétanisé.

Sa main lourde me frappa violemment derrière la tête, je m'effondrai au sol et mon visage tapa contre le verre de l'aquarium derrière lequel se tenait Paco.

Max se pencha et me releva par l'épaule pour m'envoyer une série de coups à la tête et dans les côtes.

J'avais du mal à protéger mon corps de la tempête qui s'abattait sur moi.

J'entendais Max hurler des choses en me frappant mais je ne comprenais pas, seul le langage de la nature me parvenait parfois, et les aboiements de Paco et des autres chiens me gueulant de me coucher, de mordre ou de fuir.

Je n'étais capable de rien.
J'avais aimé Max.
Je devrais partir.
Le présent faisait mal.

68.

Max me porta hors du magasin et me jeta dans la rue.

J'atterris sur l'asphalte dur et ne bougeai pas d'un millimètre.

Max resta devant la porte, il regarda au loin et sembla rassuré de trouver la rue déserte.

Je sentais le sang couler sur mon visage, certaines de mes côtes me déchirer la peau lorsque je respirais, et ma cheville droite me paraissait cassée.

Max et moi étions essoufflés, comme deux combattants après la bagarre. Sauf qu'il n'y en avait eu qu'un. L'accélération de mon souffle était due au choc, la sienne à sa corpulence qui le mettait dans cet état au moindre effort.

Max voulait encore me battre, je voyais qu'il était dans une sorte de crise, que rien, à part mon absence, ne calmerait.

Et pourtant, je ne désirais pas partir.

Mon amour pour lui existait encore malgré tout, mais il fallait qu'il devienne un souvenir pour que je l'oublie.

— Sale chien, va... Tu veux continuer à faire ce que tu veux...

Il m'envoya un autre coup de pied au ventre. Ces torgnoles tombaient sur moi avec la vitesse de la foudre, et je ne pouvais porter la main sur l'impact qu'une seconde plus tard, lorsque le mal était fait.

Max m'attrapa par les oreilles et me redressa violemment. Il rapprocha son visage à un centimètre du mien, je sentais son haleine chargée de sommeil et de vin.

— Qu'est-ce que t'as... hein... Qu'est-ce que t'as... Tu fais ce que tu veux ici ?... Il faut que tu partes maintenant... Si tu restes je vais te tuer, tu comprends... Arrange-toi pour cette nuit... décide de ce que tu as envie d'être... et reviens seulement quand tu auras choisi.

Il se releva, recula un peu en me regardant, puis revint vivement pour m'envoyer une autre rafale de coups de pieds, me touchant au ventre, au visage et aux jambes. Je me recroquevillai machinalement, comme un insecte pris au piège dans le feu.

Paco aboya à pleine gorge dans le magasin, mais les oreilles chauffées par Max et la pluie de coups m'empêchaient de l'entendre.

Max hurla en frappant :

— Va-t'en !

Et Paco, de toutes ses forces :

— Pars !

Je profitai d'un coup de pied pour glisser un peu plus loin et pris la fuite en boitant.

Au loin, j'entendais Paco :

— Tu reviendras nous chercher demain.

69.

Je ne pouvais plus poser le pied au sol, et rester debout tendait ma peau et ma poitrine en me faisant souffrir horriblement.

Je marchais à quatre pattes, avec la lenteur et la maladresse d'un jeune éléphant.

Je devais m'arrêter tous les quinze ou vingt mètres et prendre appui contre un mur pour me reposer.

J'avais laissé mes dernières forces dans la fuite, en courant longtemps car je pensais que Max continuait de me poursuivre, et même après, je restais sur mes gardes, sursautant au moindre bruit, craignant les ombres des passants, l'envol d'un pigeon.

Alors je reprenais mon chemin, laissant mon corps aller, un pas après l'autre, ne reconnaissant plus les odeurs, les lumières, mon propre reflet dans les vitrines.

Mon sang se répandait en gouttelettes sur les trottoirs, j'abandonnai l'ongle de mon pouce, à moitié arraché pendant la bagarre, et me débarrassai de mes chaussures.

Au bout d'une rue étroite, je tombai sur un petit jardin, entouré d'un grillage.

Je remarquai une fontaine abondée d'eau par un jet au centre du monument.

J'avais soif.

La porte était fermée par un cadenas, j'escaladai le grillage et m'écroulai sur le gravier de l'autre côté.

Je rampai à toute vitesse vers la fontaine et me redressai sur mes genoux en m'agrippant à la pierre pour plonger ma tête dans le bassin.

L'eau était si fraîche que j'y restai de longues minutes, ne relevant la tête que pour reprendre mon souffle.

Je sentis mes forces revenir, le sang du passé disparaître dans le tourbillon, et l'élixir naturel nettoyer les plaies de mon visage.

Après avoir bu, je m'adossai un moment au muret.

Je devais tenir jusqu'à la prochaine nuit.

Je savais qu'il y aurait une journée entre les deux, et que le soir, lorsque l'obscurité serait complètement installée, je retrouverais Dina et Paco.

— Eh, toi !

La peur remplit si vite mon cœur que je compris qu'elle n'avait jamais disparu.

— Qu'est-ce tu fous là !

Un homme sortit de l'ombre et avança vers moi. Il était grand comme Max et portait un manteau en peau et en fourrure marron.

— Faut pas que tu restes là, t'as compris !

Je me relevai et reculais lentement.

— C'est mon jardin !

L'homme ramassa une poignée de gravier au sol et l'envoya dans ma direction.

Ce ne fut pas douloureux, mais je compris le message.

Je partis en courant et faillis m'éventrer en escaladant le grillage.

70.

Les odeurs revenaient progressivement, et la chaleur des traces m'indiquait leur passé plus ou moins récent. Si je n'avais aucune conscience de ma route, j'étais sûr d'être guidé par une force surnaturelle, comme le berger suit son étoile.

Ma piste mystérieuse me mena jusqu'à une porte en bois dans une rue en pente.

Elle ne donnait pas sur un immeuble mais sur une allée bordée de petites maisons.

L'endroit ne m'était pas étranger.

Pendant que j'avançais avec méfiance, je reconnus des odeurs de jasmin, de roses et d'urine.

J'allai jusqu'au bout du passage fleuri et m'arrêtai devant l'une des maisons, dont la grande baie vitrée ouvrait sur un salon plongé dans la pénombre.

Je restai à quatre pattes, baissant parfois la tête et faisant quelques pas pour chercher de nouveaux parfums, de nouveaux indices.

Dans la maison, une lumière s'alluma. Elle venait de l'étage et projetait son faisceau dans les escaliers.

Un jeune garçon apparut, descendit les marches et traversa le salon, un verre vide à la main.

Je ne bougeai pas en le regardant passer et s'éclipser dans une autre pièce.

Après un moment, le garçon réapparut, son verre rempli d'eau, il traversa le salon dans l'autre sens, mais s'arrêta d'un coup et tourna le visage vers l'extérieur.

Le garçon s'approcha de la baie vitrée, il chercha à y voir plus clair en plaçant ses mains autour de son visage contre la vitre, puis tendant le bras, enclencha une lumière qui nous illumina le jardin et moi-même.

Nous restâmes un moment accrochés, les yeux dans les yeux.

J'hésitais à faire quelques pas vers lui, mais la douleur permanente me rappelant ma rossée me fit exécuter une sorte de bond, pour me retourner et fuir à quatre pattes.

Dans l'allée, un petit chien me rejoignit.

Il me témoigna tout de suite une grande affection, et tourna autour de moi en improvisant une danse exotique.

Je ne m'arrêtai pas, mais lui renvoyai ses petits coups de museau et ses reniflements.

Au bout de l'allée, le petit chiot aboya plusieurs fois.

Son langage était moins clair car il ne semblait pas s'en servir souvent.

Je compris tout de même qu'il s'appelait Castor et qu'il me demandait si je lui avais rapporté un cadeau du bois.

Il devait me prendre pour quelqu'un d'autre.

Ensuite, Castor me dit de l'attendre un moment.

Je m'assis pour lui faire signe que je ne bougerais pas.

Castor disparut en fonçant dans l'allée.

Je levai la tête et découvris une rangée de boîtes en fer installées près de la porte. Un petit bout de papier avec un mot était collé sur chacune d'entre elles.

J'arrivais encore à déchiffrer l'écriture de la société, sans qu'aucun de ces mots n'ait la moindre signification pour moi.

M. AIDAN
M. THOREZ
Mlle LUMBROSO
Mlle MORAN
Mme BOCCARA
M. FRANCK
Mme RIDORET
Mme SOULIGNAC
M. BLANCHOT
Mlle TAIEB
M. SENIPAUL

M. ROMALIOCHA
Mme MOLLARET
Mme SAVRY
M. RASSOV
M. LUCIOMAD
Mlle SJODIN
M. HAROCHE
Mlle CHAFFOT
Mlle DERUAS
M. BERNARD
M. RUBINI

Castor revint.

Il déposa un os devant moi. Bien que ma mâchoire me fît terriblement souffrir à cause des coups que j'avais reçus, je saisis l'os pour le faire tourner entre mes dents et le lécher.

Je promis au petit chien de le retrouver un jour, il me souhaita bonne chance et nous nous séparâmes.

71.

Je continuai mon chemin, cherchant ma direction dans les traces sombres et humides, tournant aux carrefours plus ou moins familiers, laissant mon instinct me guider et ma mémoire transformer le passé en sentiments négatifs ou positifs.

Je levais la tête vers le ciel, mais la nuit restait suspendue au-dessus du monde, bien décidée à ne pas céder ses ténèbres.

Je m'arrêtai devant un hôtel, son enseigne en néon, et son entrée électrique.

Ici, l'odeur n'était pas forcément agréable, même si j'y reconnaissais quelques soupçons d'intimité.

Les portes vitrées automatiques s'ouvrirent lorsque je passai devant.

J'y entrai timidement.

Le hall était désert, de la musique s'échappait d'un comptoir un peu plus loin, mais à quatre pattes, je ne pouvais voir si quelqu'un se trouvait derrière.

Je restai assis dans la réception, en matant un canapé confortable sur lequel je rêvais de m'allonger.

Au bout d'un moment, un homme jeune et maigre se leva de derrière le comptoir.

Il ne me remarqua pas tout de suite et je dus aboyer pour qu'il le fasse.

En me voyant, l'homme maigre changea vite d'expression et s'activa pour foncer vers moi en tenant un morceau de bois à la forme étrange.

— Qu'est-ce que c'est que ça encore!... Allez dégage... dégage tout de suite...

Je ne comprenais pas ce qu'il disait et crus qu'il voulait jouer à « va chercher le truc » avec le bâton.

Je me redressai à quatre pattes et tournai autour de l'homme en sautillant.

Il ne lançait pas le bâton, mais cherchait clairement à m'atteindre au visage.

— Oh putain... Je vais te foutre un coup de batte dans la gueule!

Tentant le tout pour le tout, je sautai sur le canapé et m'allongeai en soufflant.

L'homme saisit son bâton à deux mains et avança au ralenti vers moi.

— Tu veux jouer au malin, toi... Tu vas voir... Je vais te fendre en deux et te montrer à mon patron demain... Il comprendra comme j'aime mon boulot...

L'homme maigre accéléra en levant son bâton, je déguerpis en vitesse et entendis le coussin recevoir le coup à ma place.

72.

Je me retrouvai dans des rues plus sombres, sans aucune vitrine éclairée, ni porte connue. J'étais épuisé, mais mon instinct ne m'indiquait pas d'endroit où me poser, et mon odorat fatigué ne distinguait plus que les traces d'ordures et d'excréments.

Les arbres qui bordaient certaines avenues semblaient avoir été arrachés à ma clairière pour être replantés ici, à même le béton.

Je décidai de choisir un arbre pour me coucher.

Après tout, s'ils étaient la seule nature abordable dans la ville, ils en restaient les représentants, et nous nous ressemblions, dans notre déracinement.

Des centaines de crottes jonchaient le sol au pied des arbres, et leurs troncs étaient imprégnés d'un millier d'urines différentes.

Pour trouver un arbre non souillé, il fallait que j'en cherche un trop en évidence pour que les hommes aient pu laisser leurs chiens y faire leurs besoins.

Je quittai les rues sombres pour une avenue large et flanquée de magasins en tout genre.

Ici, les arbres étaient gigantesques, leurs branches élaguées et soignées, leurs troncs propres et blanchis.

La dernière inspiration de mes sens me fit choisir un marronnier planté devant un magasin dont l'entrée, fermée par un rideau de fer, me rappelait quelque chose.

Je me couchai sous l'arbre, arrangeant mon dos avec ses racines et reposai ma tête sur mes mains.

J'avais vue sur le magasin en face et son enseigne :

OBP BANQUE

Je détournai mon regard pour le plonger dans la terre devant moi.

Je pensai à Dina en m'endormant.

73.

Au matin, le bruit de la circulation, des voitures, des bus, des passants, me réveilla.

La vie s'activait dans tous les sens et personne ne prêtait attention à moi, pas plus qu'aux arbres, aux oiseaux ou aux nuages dans le ciel.

Me redressant, je sentis mon corps assailli par mille douleurs.

La plus forte venait de ma cheville. Elle était gonflée, et l'os semblait pousser la peau. J'essayai de poser mon pied au sol, mais la souffrance rendait le geste impossible pour le moment.

Je restai assis et constatai que du sang avait continué de couler de ma tête pendant mon sommeil et avait séché sur mes mains et sûrement sur mon visage.

Une femme sortit du magasin *OBP Banque* en face, dont le rideau de fer avait disparu.

Elle s'approcha vivement de moi mais s'arrêta à quelques mètres, en agitant ses bras et ses mains aux ongles bicolores.

— Allez… Ouste… Ouste… On reste pas ici…

Je la regardais sans bouger et sans comprendre un mot de son langage.

— Allez… Ouste… Ouste…

Derrière, du magasin, un homme en chemisette jaune la rejoignit.

— Que se passe-t-il, mademoiselle Vigant ?

— Y a encore un chien devant la banque, il va faire peur aux clients, monsieur Letteret.

Je regardai l'homme.

Mon instinct revigoré m'envoya un signal de méfiance.

Je devais rester sur mes gardes.

L'homme s'approcha doucement de moi, il semblait curieux et fronçait un peu plus les sourcils à chaque pas.

J'aboyai plusieurs fois dans leur direction.

L'homme avança lentement sa main, il espérait toucher mon épaule.

— Que faites-vous, monsieur Letteret ?

— Rien… Ce chien est étrange, mademoiselle Vigant… Il a quelque chose de…

La main de l'homme se rapprochait de moi.

— Quelque chose de quoi, monsieur Letteret ?

— Je ne sais pas... Est-ce que monsieur Blanchot est arrivé, nous avions rendez-vous ce matin à 8 heures ?

— Pas encore, monsieur Letteret.

La main continuait son chemin.

Je ne résistai pas à la mordre.

Je croquai sa main et la gardai fermement serrée dans ma mâchoire.

L'homme et la femme hurlèrent en chœur, faisant s'arrêter quelques passants et sortir d'autres hommes du magasin.

On essaya de me faire lâcher prise, on se jeta sur moi pour me plaquer au sol, mais, plus vif qu'un chat sauvage, je libérai ma prise, bondis sur mes quatre pattes, sautai par-dessus les hommes et me retrouvai dans leur dos, fier et prêt à les affronter.

L'homme à la chemisette jaune tomba à genoux en se tenant la main.

Deux femmes et un homme vinrent s'inquiéter de son sort en se penchant sur lui.

— Ça va, monsieur Letteret ?

— Il m'a mordu !... Il m'a mordu !

Les autres hommes avançaient vers moi à petits pas. Réellement, ils n'avançaient pas, mais évoluaient plutôt de côté, un pas à droite, deux pas à gauche, façon crabe.

Ces hommes ne savaient pas se battre. Aucun n'était préparé au véritable combat physique.

— Il faut appeler la fourrière.

— Allez-y, on va l'encercler.

L'un des hommes retourna vers le magasin *OBP Banque*.

L'homme à la chemisette continuait de gémir au sol en soufflant sur sa main.

Ceux qui se tenaient face à moi changèrent leur position en ligne pour se placer en demi-cercle.

Si je continuais de reculer, je serais bientôt acculé, bloqué contre le mur d'immeuble derrière moi.

Je devais réagir dans la seconde, il n'était pas question que je me laisse attraper par ces gens, Dina et Paco m'attendaient, ma vie était ailleurs.

Je me rappelais les leçons de Max.

L'homme ne craint le chien ni au visage, ni au cœur... mais aux extrémités : mains... pieds et chevilles... pénis.

Je regardais les hommes en demi-cercle devant moi.

Leurs mains étaient écartées et en hauteur, comme pour se donner une sorte d'équilibre et de prestance.

Leurs pieds étaient enfermés dans des chaussures en cuir dont certaines montaient jusqu'au-dessus de la cheville.

Seul leur pénis restait facile à atteindre, simplement protégé par le tissu de leurs pantalons, bien dégagés dans l'entrejambe, puisqu'ils tenaient leurs cuisses écartées comme leurs mains.

Je choisis un homme dont la taille était à la hauteur de ma gueule.

Il n'était pas très grand, plus âgé que les autres, et détonnait par son costume complet et sombre, alors que les autres ne portaient pas de vestes sur leurs chemisettes.

J'attendais de toucher le mur, pour y prendre mon élan.

Je ne quittais pas ma proie des yeux, envisageant son comportement, le temps de réaction des autres, et la distance que j'aurais parcourue au moment où ils décideraient de me poursuivre.

Je repensai à Max et à la dernière leçon.

Le lâché-prise était le deuxième mouvement de l'attaque.

Un chien qui ne lâche pas sa proie se retrouve vite en danger.

Comme Thor accroché à la cheville de Max.

Aujourd'hui, je ne pouvais compter que sur moi-même. Je devais rapidement croquer le pénis de l'homme au costume sombre, sans m'y attacher, et surtout sans attendre que la voix de mon maître ne m'ordonne de m'en défaire.

Un chien sans maître.

Je sentis le mur contre mon postérieur, il était trop tard pour penser, il s'agissait désormais de tendre mes muscles, d'ouvrir ma poitrine, de libérer mes sens, et de viser le pénis.

Je me servis du mur comme d'un ressort et bondis d'un coup vers les hommes.

Ils furent surpris, mais s'encouragèrent les uns les autres par des :

— Oh là... Doucement... Oh là... Calme-toi...

Je pris de la vitesse sans perdre de vue le pénis dans le costume sombre.

L'homme à la chemisette jaune arrêta de gémir et le silence s'abattit soudainement sur la rue.

La direction de ma course devenait claire pour tout le monde, si bien que les autres hommes se désolidarisèrent complètement de celui au costume sombre qui restait immobile et tremblant, me voyant foncer vers son entrejambe la gueule grande ouverte.

J'avais largement la place de passer.

Une avenue à droite, un boulevard à gauche.

Mais si la nature est bien faite, c'est qu'elle ne change pas d'avis au cours de ses saisons.

Je mordis donc au passage le pénis de l'homme au costume sombre, d'une morsure franche et limpide, puis relâchai ma prise aussitôt, pour sortir par la droite et continuer mon sprint sans me retourner.

J'entendis au loin un cri, des pleurs, des gémissements, et l'envol de pigeons dans le ciel mauve du matin.

74.

La journée passa vite.

Ma patte me faisait mal, et je cherchais à trouver un endroit calme avec un point d'eau pour me rafraîchir, soigner mes plaies et me reposer.

Les odeurs maritimes m'amenèrent d'abord sur un marché, puis dans une poissonnerie, avant d'atteindre mon but, sur les bords du grand fleuve qui traverse la ville.

L'endroit, en contrebas de la cité, était désert. Les gens qui s'activaient au-dessus semblaient avoir oublié l'existence de ce paradis en mouvement, témoin des montagnes lointaines voyageant vers les mers et les océans.

Je pus me baigner tranquillement.

Je plongeai d'abord mon visage, mes mains et mes pieds, pour me laisser entièrement glisser dans la rivière profonde.

Je restai longuement dans mon bain, m'immergeant complètement et nageant jusqu'au fond. Croisant quelques brochets et quelques brèmes, découvrant des roches anciennes, des algues vertes et jaunes, des mobylettes, des appareils électroménagers, des corps plus ou moins décomposés…

Comme je remontais à la surface, un couple s'arrêta pour me regarder.

Il n'avait pas l'air méchant et l'homme saisit son appareil photo pour prendre quelques clichés.

Je fis la planche, des galipettes, le poirier…

La femme applaudissait.

— He's crazy !

— Completely !

75.

Je passai le reste de la journée allongé sous un saule pleureur, dont je partageais la joie de se trouver si près de l'eau.

Je dormis tout le jour, réveillé parfois par un klaxon, une sirène, mais une nouvelle contemplation du fleuve et de son flot régulier me renvoyait vite aux rêves.

Dans la portée de jeunes chiots se trouvait un enfant humain.

Max conduisait un bus et cherchait à m'écraser dans une rue déserte.

Paco m'expliquait qu'on ne courait qu'après la lune.

Dina et moi étions chacun enfermés dans une cage, l'un en face de l'autre, nous nous regardions.

Le jour déclinait. Il était temps pour moi de partir. En me levant, je constatai que je souffrais moins de mes blessures.

Ma patte droite me faisait encore mal, mais je saurais comment la préserver, en marchant de côté, jusqu'à retrouver Paco et Dina.

J'abandonnai mes derniers vêtements sur les bords du fleuve.

Ils étaient trempés, sales, couverts de vase, en lambeaux, et désormais inutiles.

Je saluai le saule bienveillant, le fleuve ami, et remontai à la surface humaine.

76.

J'arrivai chez Max avant la nuit tombée.

Je passai à plusieurs reprises devant la vitrine en jetant un coup d'œil à chaque fois, et sans me faire remarquer, ni par Max derrière la caisse, ni par les chiens dans leurs aquariums de verre.

Je m'assis un peu plus loin, sur le trottoir en face, caché entre deux voitures garées, avec vue sur un coin du magasin.

Il fallait que j'entre avant la fermeture, qui n'allait plus tarder.

J'étudiai la situation.

La façon dont je devais me présenter.

Comment Max réagirait.

Je ne trouvais rien d'autre qu'une arrivée simple et discrète. Inutile de minauder, de jouer au blessé, à l'émotion des grandes retrouvailles, Max ne le supporterait pas.

Il fallait qu'il comprenne que j'avais appris ma leçon. Que je ne lui en voulais de rien, et certainement pas des coups qu'il m'avait donnés, puisqu'ils étaient justes par rapport à ma faute.

Je devais m'empêcher de boiter, de montrer mes blessures, et ne rien laisser paraître qui lui rappellerait sa colère.

Aux hommes, la colère ramène la colère.

J'avais été désorienté par la réaction des hommes devant l'*OBP Banque*. Ils n'avaient pas eu l'attitude que j'imaginais. Et si je devais m'enrichir quelque peu de cette expérience, il fallait que je compte sur plus de bassesse que de courage.

Quoi que l'on fasse, le faire avec détermination.

Ni plus, ni moins.

La nuit ne sera pas à moitié nuit.

Le vent ne soufflera pas moins que ce qu'il doit souffler.

L'arbre ne prendra pas plus d'eau qu'il ne lui est nécessaire.

Je traversai la rue et entrai dans le magasin.

Max me remarqua immédiatement, mais continua de lire son journal sur le comptoir de sa caisse.

Je m'assis devant lui.

Les chiens s'excitèrent, mais je ne leur prêtai pas attention, Max devait voir que j'étais différent, et pas de la même trempe que ces ignorants non dressés.

Paco n'aboya pas, je savais qu'il comprenait mon jeu.

Je restai un long moment assis et silencieux à contempler Max, bien droit, la poitrine relevée, évitant de m'appuyer sur ma patte malade.

Il plia son journal en me regardant, puis fit le tour de sa caisse, et commença la fermeture du magasin.

Les deux moments pendant lesquels Max m'avait regardé lui avaient été largement suffisants pour m'analyser. Il n'avait pas besoin d'une seconde de plus pour vous comprendre.

D'où vous veniez.

Ce que vous ressentiez.

Ce que vous prépariez.

Je restai concentré, essayant de donner la meilleure impression possible. Max n'aurait pas voulu d'un chien faible et pleurnichard, et seule une attitude vaincue, mais digne, pouvait lui donner envie de me garder, et ne pas éveiller de soupçon.

Pendant qu'il se baissait pour mettre un tour de clé dans la serrure de la porte vitrée, je jetai un rapide coup d'œil à Paco.

Il m'envoya un signe de tête pour me dire qu'il approuvait ma conduite.

Max se releva et me regarda encore un moment.

Je baissai la tête, signe de mon infériorité, mais gardai les yeux accrochés aux siens, preuve de mon affection intacte à son égard.

— Allez, viens !

Je m'excitai d'un coup en me redressant sur mes quatre pattes. A la fois pour rester dans mon rôle et lui montrer mon bonheur d'être de nouveau accepté, mais aussi car j'étais réellement heureux de voir mon plan fonctionner.

En traversant le magasin pour suivre Max à l'étage, je cherchai Dina. Elle n'était plus à sa place. La panique s'empara de moi, imaginant qu'elle avait été vendue, qu'elle était partie pour toujours. Paco perçut mon angoisse et m'adressa un signe de tête dans une autre direction.

Dina était allongée à la place de la portée des jeunes chiots.

Son regard était vide et chargé de la plus profonde tristesse.

Je compris que les chiots étaient morts.

77.

Max fut de bonne humeur ce soir de retrouvailles.

Il me secoua plusieurs fois la tête, énergique et complice, prenant souvent une pause en lâchant un rire, pour me rappeler combien j'avais été stupide, mais qu'il ne m'en voulait pas.

J'eus droit à presque la moitié de son steak. Allongé à ses pieds sous la table, je vis sa main descendre une dizaine de fois pour m'offrir un bout de viande.

Je n'avais pas faim. Mon corps se remettait à peine des coups qu'il m'avait portés la veille, et si l'on ne mord pas la main qui vous nourrit, on a du mal à manger dans celle qui vous bat.

Je me redressais quand même pour saisir la chair et ne laisser paraître aucune rancune, et aussi pour prendre des forces et goûter peut-être une dernière fois à la nourriture cuite et préparée.

Max regarda la télévision assis sur le canapé.

Je restais allongé sur le tapis à ses pieds.

Je pensais à Dina, couchée sur son lit de morts, imaginant la peine qui l'affectait, et la nuit qu'ils avaient dû tous passer, assistant impuissants à la longue agonie des chiots.

Je me retournai sur l'autre flanc en soufflant, essayant de faire passer la colère qui me brûlait.

— Chien !

Je levai la tête vers Max.

— Viens !

Il voulait que je monte sur le canapé pour me coller contre lui et que nous nous vautrions ensemble face au divertissement.

Il tapota encore le coussin.

— Allez !

Je me redressai mollement, et, m'accrochant au regard de Dina comme au phare dans la nuit, sautai d'un bond pour le rejoindre.

Nous restâmes ainsi une éternité. Mon dos plaqué contre sa cuisse, sa main allant et venant sur mon torse, saisissant parfois ma nuque, s'alourdissant sur mes épaules, et après un rire, la chute d'un candidat, reprenant son mouvement, le long de ma colonne vertébrale, sur mes côtes encore endolories.

Je ne bronchais pas, et me retenais de frissonner ou de le mordre lorsqu'il frôlait une plaie ou que ses doigts rencontraient mes bosses.

Au moment où il éteignit la télé et les lumières pour se coucher, je fus si soulagé que j'arrivai dans la chambre le premier.

Il prit cela pour de l'enthousiasme, et mon élan me coûta cher puisqu'il voulut que je dorme dans son lit.

Cela rendrait plus difficile ma fuite nocturne. Le lit grinçait plus qu'un vieux cargo, et Max, comme tous les hommes habitués à dormir seul, ajouté à son caractère militaire, était sensible au moindre mouvement.

En l'attendant, alors qu'il se déshabillait devant moi, je décidai tout de suite d'une position anticipant ma future évasion.

Sur le ventre, le corps à moitié dans le lit, et l'autre pendant dans le vide.

Ainsi, je pouvais facilement prendre appui sur mon pied (même s'il s'agissait du droit blessé) et me laisser glisser au sol, pour ramper délicatement vers la sortie.

— Tu me laisses trop de place ! dit Max en s'allongeant de toute sa masse.

Son problème de poids fut d'un seul coup le mien, car en s'allongeant, le lit s'enfonça avec lui, et mon demi-corps libéré fut ramené sur le matelas.

Max passa son bras autour de moi, et je fus de nouveau prisonnier.

78.

Je pris le rythme de son souffle, inspirant et expirant plus fort pour l'entraîner, marquant les mêmes apnées, imitant ses toux.

J'écartai son bras millimètre par millimètre et ne bougeai pas encore un long moment une fois que je m'en fus débarrassé.

Ma vision nocturne me permit de visualiser à l'avance les obstacles dans la chambre.

Je basculai pour me laisser glisser au sol en tendant mes muscles, et mis plusieurs minutes avant de sentir mon gros orteil droit sur le parquet. Mon pied. Un genou. La main. Et l'autre partie. Main. Coude. Genou. Pied.

Complètement dégagé du lit, et après avoir gardé une position quatre pattes-couché, je m'aplatis pour ramper.

Mais alors que j'avançais à plat ventre dans la poussière, les sens exacerbés, un frisson me traversa et j'éprouvai une joie profonde.

Depuis quand n'as-tu pas ressenti ?

79.

Paco et Dina m'attendaient, assis le plus près possible des escaliers.

Les autres chiens, couchés ici et là, n'avaient pas conscience de notre plan.

Paco se redressa, les pattes sur le bord de l'aquarium.

D'un aboiement sourd, il me dit de l'imiter.

Je me levai et m'accrochai au verre face à lui.

Il me caressa avec sa tête, et m'envoya des coups de langue au visage.

Dina nous rejoignit, et se mêla au câlin.

Si l'affection de Paco était dure, comme peut l'être celle d'un voyou en cavale, Dina était plus tendre qu'un matin d'été, son poil comme de la soie, sa langue fraîche comme un ruisseau sauvage.

Mais nous devions rester sur nos gardes, la menace qui pesait sur nous avait l'odeur de Max qui dormait à l'étage.

J'attrapai Paco et le soulevai hors de l'aquarium.

Il était lourd, de muscles et de nerfs.

Je fis pareil avec Dina.

Nous étions tous les trois réunis pour la première fois.

Paco resta à sa place, mais Dina eut du mal à ne pas aller renifler ailleurs.

Paco marcha calmement devant les autres chiens qui restaient allongés derrière le verre.

Il aboya :

— Nous partirons… Ceux qui voudront venir seront les bienvenus…

Les chiens ne bougeaient pas. A la fois fatigués et sans conscience du futur.

Paco me retrouva.

Il aboya.

— Allons-y.

Et après un mouvement de tête vers la sortie, ils me suivirent.

Les poignées de la fenêtre étaient liées par une chaîne neuve et épaisse fermée par un cadenas.

J'essayai quand même de l'ouvrir, mais les montants ne s'écartaient que de quelques centimètres. La porte vitrée était aussi fermée, et aucun moyen pour nous de sortir du magasin.

Je m'assis face à Dina et Paco qui n'avaient rien perdu de mes déplacements.

Dina aboya.

— Il faudra trouver un moyen de sortir.

Les images se formèrent dans mon esprit, je les aboyai :

— Max possède un trousseau de clés qui ouvrent ces portes.

— Où se trouve ce trousseau ?

— Il est accroché à la ceinture de son pantalon.

Nous restâmes silencieux un moment.

Paco continua :

— Retrouvons nos prisons, demain, avant de descendre, tu devras saisir ce trousseau.

Demain me parut plus long qu'avait été ma vie jusqu'aujourd'hui.

— Non, partons cette nuit, je ne veux plus passer une autre journée à attendre.

Dina était d'accord :

— Il a raison, l'odeur de la mort est partout.

Paco réfléchit.

— Alors, c'est maintenant que tu dois trouver ce trousseau.

Je remontai à l'étage.

Dina me suivit quelques pas, je sentis sa tête contre mon épaule.

— Ne tremble pas Chien, subis la misère, mais ne tremble pas devant elle.

80.

J'entrai dans la chambre en rampant.

Max posait son pantalon sur une chaise dans un coin à l'autre bout de la pièce.

Le chemin le plus court était de passer sous le lit, et sous Max qui y était couché.

Mais c'était aussi l'endroit qui rendait ma présence la moins explicable s'il m'y trouvait.

Après tout, je ne risquais rien tant que j'étais en évidence dans la chambre, je pouvais être tombé du lit, m'être levé pour boire un peu d'eau.

J'avançai lentement, en longeant le bord du sommier.

La chambre entière était plongée dans le sommeil de Max et semblait se gonfler lorsqu'il inspirait lourdement.

Je restais à quatre pattes devant la chaise à l'autre bout de la chambre.

Je ne devais pas faire glisser le pantalon. Ses poches pleines, sa ceinture lourde et le trousseau risquaient de frapper le sol et de le réveiller.

Je devais directement saisir les clés.

Je me redressai sur mon train arrière, me retournai pour vérifier la torpeur de Max et étudier son souffle pour palper le pantalon lors de ses expirations.

Le trousseau était bien là, brillant de tout son chrome.

J'essayai de le saisir d'une main pour décrocher le mousqueton avec l'autre.

Je n'avais plus utilisé mes doigts depuis un certain temps, je pouvais les ouvrir, tendre ma main, mais il m'était impossible de les refermer, ils restaient crispés comme ceux d'un vieil homme, maladroits comme ceux d'un nouveau-né.

Je répétai l'opération plusieurs fois : avancer une main, attraper le trousseau, refermer les doigts, puis avancer l'autre main et coincer le mousqueton entre le pouce et l'index pour faire sauter le poussoir.

Impossible.

Je ne voyais qu'une solution : Emmener le pantalon, puisque le trousseau y était accroché.

Le tissu glissait, et je n'y trouvais aucune prise pour le garder en sécurité entre mes mains. De plus, je ne pouvais pas ramper correctement les mains pleines.

Je devais travailler avec la bouche.

J'essayai d'abord de titiller le mousqueton avec les dents, mais je n'avais pas encore assez d'expérience pour cela, et le bruit de l'acier contre l'émail crissait dans la nuit.

Il fallait que j'emporte le tout pour descendre au magasin ; sur place, Paco et Dina m'aideraient.

Je mordis la ceinture et enlevai le pantalon pour repartir à quatre pattes.

Max était debout devant moi.

Il me regardait fixement, et je crus même apercevoir un sourire accroché à sa bouche dans l'obscurité.

Je ne l'avais pas entendu se lever, trop concentré sur le trousseau, la tête enfouie dans le vêtement.

Je restai sous lui, saisi et immobile, sentant un frisson tourbillonner dans mon corps.

— C'est les clés que tu veux ?

Il me parlait doucement, avec une sorte de complicité, comme s'il ne voulait pas non plus éveiller le monstre en lui.

Mais je reconnus ce ton. Le même que le jour où il m'avait battu, ou la fois avec la fille à la voix grave qui avait prié sur lui dans la voiture.

— Dis, mon chien… C'est les clés que tu veux ?

Max attrapa le pantalon, je lâchai prise.

Il enleva la ceinture et plia le vêtement d'une certaine façon, avec le même calme et sans me quitter des yeux, puis le fit tourner entre les doigts, longtemps, comme un papier à cigarette, jusqu'à arriver à une torsion parfaite, tendue, prête à exploser.

Le pantalon ressemblait désormais à une corde, le trousseau de clés pendant à son extrémité.

Le visage de Max s'était aussi transformé à mesure qu'il préparait son arme.

— Tu veux la clé ?

Il leva son bras et resta un moment ainsi, immuable, tel l'empereur gravé.

Je m'affaissais, incapable de fuir ou même de me protéger. Rien au monde ne pourrait empêcher le coup qui arriverait, et comme le soleil ne contrariait pas la nuit, je recevrais ma punition sans broncher

Il frappa, sèchement, sans se retenir, visant le visage ou la tête, touchant son but, et comme un ressort, replaçant immédiatement son bras en l'air, pour frapper à nouveau.

Je sentis les clés me déchirer le front et la paupière gauche. Je ne savais pas si mon œil était touché car il fut rapidement couvert de sang et ma vue se brouilla de ce côté.

J'entendis les chiens hurler en bas, réveillés puis excités par la colère.

Paco aboya plus fort que les autres.

Je pouvais facilement comprendre ce qu'il me disait, puisque Max prenait le temps, entre les coups, de retendre son vêtement.

— Sois ce que tu as été, Chien… Oublie pour l'instant qui tu es et ce que tu seras…

Le deuxième coup fut plus violent que le premier. Je m'effondrai à plat ventre, le visage contre le parquet et dans mon sang, offrant à Max mon crâne, ma nuque et mon dos pour continuer.

Paco aboya.

— Tu ne vivras qu'en tant qu'homme face à l'homme… Relève-toi, Chien… Relève-toi et frappe…

Le troisième coup lacéra mon dos, et malgré la taille du trousseau, j'eus l'impression qu'il me tailladait sur toute la largeur.

Paco aboya.

— Relève-toi… Il connaît trop les chiens… Affronte-le debout…

Dina aussi aboya, je reconnus son chant mélodieux dans le chaos.

— Je t'en supplie, relève-toi Chien… Relève-toi…

— Rappelle-toi l'homme… Rappelle l'homme…

J'essayais de me mettre sur mes avant-bras.

Un quatrième coup me plaqua au sol.

Je fermai les yeux.

81.

C'est un dortoir dans une caserne.

Les hommes portent les mêmes vêtements militaires.

Ils ressemblent à Max.

Ils sont forts.

Les cheveux rasés.

Au-dessus des lits superposés, de grandes baies vitrées s'ouvrent sur la nuit et la neige qui tombe silencieusement.

Les plus petits font les tâches des plus grands.

Le plus faible fait les tâches des plus petits.

Quand le plus faible se couche tard dans la nuit, les autres se lèvent en douce et le frappent.

Ils le frappent avec leurs pantalons roulés en boules.

Les poches pleines de pierres, de pommes, ou de savons.

Au matin, le plus faible n'arrive plus à sortir du lit.

On le punit.

Le sergent l'oblige à exécuter une série de pompes.

Le plus faible s'allonge, face contre terre, devant les autres, et commence sa peine.

Au premier étirement, les plaies de la nuit s'ouvrent, et l'homme comprend qu'il n'a pas rêvé.

82.

J'attrapai le pantalon au cinquième coup. Max fut surpris et tira pour que je lâche. Mais je tins bon. Je parvins même à me mettre sur le flanc, pour avoir plus de prise.

Ma réaction décupla la colère de Max, et j'eus l'impression que cela l'excitait comme un jeu.

En bas, Dina continuait d'aboyer pour m'encourager.

Max m'ordonnait de lâcher. Mais je ne pouvais plus lui obéir. J'avais franchi la frontière animale, errant sur le sentier sauvage où l'être n'appartient à aucune espèce précise. Capable de voler sans ailes. De ne plus se nourrir un mois. De ne reconnaître l'amour qu'à l'odeur qu'il dégage.

Paco aboya.

— C'est dans la colère de l'autre que tu trouveras la tienne.

Je lâchai le pantalon brusquement.

Avec l'effet et la surprise, Max recula et s'effondra, le dos contre la table de nuit.

Il n'était pas sonné, juste étonné de se retrouver là. Il chercha immédiatement à se relever, et je fis le même effort. Max avait du mal à cause de sa taille et de son poids, de mon côté, je découvrais de nouvelles blessures à chaque mouvement qui m'obligeaient à m'y prendre d'une certaine façon.

Je devais être le premier debout, on ne remporte pas une bataille en ne donnant qu'un coup, c'est une multitude de stratèges, de duels gagnés qui offrent la victoire.

Les premiers levés l'emporteront.

Max pouvait exercer toute sa force en étant debout, et en frappant de haut en bas. Mais dans sa position actuelle, il était plus faible qu'un moineau. Son poids, l'alcool absorbé, la quantité de nourriture au dîner, l'emphysème qui gagnait ses poumons, l'empêchaient du moindre mouvement inverse, et c'est à peine s'il put lever la tête lorsque je m'approchai de lui.

Je frappai son genou plusieurs fois, jusqu'à le casser.

Max essaya d'abord de se défendre, cherchant à se relever, à me donner des coups de pieds, mais j'étais bien trop rapide et léger ; je reculais, m'écartais d'un pas à gauche ou à droite, et revenais toucher ma cible.

Max abandonna toute résistance. Il prit son genou à deux mains et remua en avant et en arrière en gémissant, comme la femme qui priait dans sa voiture.

J'en profitai pour me pencher dans son dos et enrouler mon bras autour de son cou pour serrer de toutes mes forces.

Je l'immobilisai.

Quand l'air lui manqua et qu'il se débattit violemment en essayant de me donner des coups de tête, je lui mordis la joue.

Nous restâmes ainsi longtemps, ma gueule accrochée à son visage, sentant la chair céder et son sang dans ma bouche, un dernier filet d'air se volatiliser dans la pièce, les yeux dans les yeux, puis les siens s'évanouir lentement.

— Merci… merci, Chien…

J'aurais pu filer à cet instant, son état me laissait le temps de descendre, et sûrement de fuir avec mes amis.

Mais sur le sentier sauvage dans lequel je me trouvais, on ne raisonnait pas en termes de blessures infligées, de temps gagné, d'actions futures ou passées.

Il n'y avait que la vie, et la mort.

Et peut-être manger la mort.

Et s'endormir le ventre plein de mort.

Les mouvements s'enchaînaient simplement dans cette nature, et seul un élément de la société pouvait nous en détourner.

Dina aboya.

Je relevai la tête.

— Tu devras revenir, Chien.

Max était affalé sur moi.

Je me débarrassai de son corps en me redressant, et sortis de la chambre à quatre pattes en emportant dans ma gueule le pantalon, le trousseau de clés, et un morceau de chair.

83.

Mes doigts avaient retrouvé un peu de leur dextérité.

Je réussis à introduire la clé dans la serrure de la porte vitrée et à l'ouvrir.

Dina et Paco me fêtèrent en me tournant autour et en me léchant le visage.

Avant de sortir, Paco se retourna vers les autres et aboya.

— Ceux qui voudront venir seront les bienvenus.

Aucun chien ne bougea.

— Alors vous êtes nés pour être possédés.

84.

Mes blessures me tiraient un peu partout et j'avais du mal à marcher sans boiter.

Dina continuait de me câliner tandis que nous avancions.

Paco éclairait notre chemin quelques mètres à l'avant.

Lorsqu'il accélérait la cadence, je n'arrivais plus à le suivre.

Dina le rejoignit.

— Tu vas trop vite, Chien est blessé.

— Nous ne devrons pas traîner ici, les hommes-éclairs auront vite fait de nous prendre.

— Il faudra chercher un endroit pour soigner Chien.

Je les retrouvai.

— Je connais un endroit, là où l'arbre pleure, en contrebas des humains, il y a le fleuve.

Dina aboya.

— J'ai connu cet endroit, ma maîtresse m'y emmenait autrefois.

Paco réfléchit.

— Quand y étais-tu la dernière fois ?

— Le jour d'avant cette nuit.

— Tu seras trop faible pour retrouver tes traces, Dina et moi le ferons pour toi.

Dina reprit :

— Je connais l'air du fleuve, si le vent nous aide, nous le trouverons plus vite.

Ils me tournèrent autour et me reniflèrent.

Nous reprîmes notre chemin.

Je suivais Paco et Dina, qui allaient d'une trace à une autre, traversant les rues après avoir abandonné une piste, longeant les murs de béton, les rideaux de fer des magasins, les chaussées, les grilles des jardins, tournant autour des poteaux, feux de signalisation.

Lorsqu'une brise soufflait, Dina levait haut son museau et interrogeait l'air.

Je me souvenais de Max. Je ne savais plus vraiment depuis quand nous l'avions quitté, et son image s'évanouissait à chaque mètre que nous franchissions.

Mais j'avais encore un peu le goût de son sang dans la bouche, mélangé à ma propre bile.

J'avais quitté le monde des hommes en en tuant peut-être un.

Mais il aurait fallu que je reste dans cet état pour que j'en ressente quelque émotion.

A présent, redevenu bestial, je ne cherchais qu'à laver mes plaies, et suivre le groupe pour trouver notre abri fluvial.

85.

Lorsque nous arrivâmes au fleuve, je fus fier de prendre les devants pour présenter l'arbre à mes compagnons.

En échange, ils urinèrent plusieurs fois sur son tronc.

Je plongeai le premier.

Le bruit de mon saut nocturne sembla inédit dans la ville et interrompre un instant le flux de la circulation.

Je sentis chacune de mes blessures cautériser dans l'eau glacée.

Paco et Dina me rejoignirent.

Nous restâmes longtemps à jouer dans l'eau.

Plus tard sur la rive, nous nous blottîmes sous l'arbre.

Dina ne cessait pas de lécher mon corps meurtri, tandis que Paco, dans mon dos, avait posé sa tête entre mon épaule et ma nuque et m'envoyait son air brûlant à chaque expiration.

Les yeux fermés, il me sembla être perché sur l'arbre qui pleure, au bord de l'océan, d'une falaise, d'un monde nouveau.

86.

Je me réveillai avant le jour.

Dina se tenait dans la même position, pelotonnée contre moi. Je me retournai pour découvrir Paco, assis plus loin au bord du fleuve.

Je me redressai doucement en prenant soin de ne pas déranger la chienne, et retrouvai Paco.

Il regardait l'eau, mais ne suivait pas son mouvement. Son âme voguait déjà dans les tréfonds, entre les algues et la vase.

Il releva la tête.

— Nous ne pourrons rester ensemble.

— Pourquoi ?

— Nous serons trop vulnérables à trois… Les chiens ne peuvent pas vivre en bande sans les hommes dans leur société.

— Mais nous serons plus forts ensemble.

— C'est le contraire de ce que tu crois… Dans la société des hommes, l'individu est plus fort que la masse…

Paco me regarda.

— Ce n'est pas notre territoire, Chien… Et ici comme dans la nature, aucune espèce ne peut s'en sortir à plusieurs en dehors de son territoire… C'est chacun pour soi.

— Mais si les hommes vivent sur leur territoire, pourquoi ne sont-ils pas plus proches ?

— Ils ont oublié… Ils sont devenus d'autres bêtes.

Dina arriva, nous ne l'avions pas entendue se réveiller.

Elle se mit entre nous et posa son museau sur mon épaule.

Je demandai à Paco :

— Où est notre territoire ?

— Nos ancêtres ont connu les plaines jaunes, les rivières sauvages, les forêts millénaires… Puis ils ont connu les hommes, leurs maisons, leur nourriture préparée, leur violence, ils ont cru passer un pacte d'amitié avec eux, sans se rendre compte que les plaines jaunes devenaient des villes grises, les rivières sauvages des égouts… Il ne nous restait plus qu'à nous coucher à leurs pieds… Voilà notre territoire désormais… Nos vies sont bien plus courtes que les leurs… A peine le temps de se rendre compte de notre sort que nous mourons, tristes et impuissants…

— Et si nous trouvions la nature, notre territoire ?

— Les hommes sont partout.

— Je connais un endroit… Quelque part où les hommes ne sortent pas de leur voiture, où les femmes sont fragiles… Une clairière douce et pure où chaque instant semble être le premier du matin.

Dina releva la tête.

— Où se trouve cette clairière ?

— Après la ville, derrière les tours.

— Quelles tours ?

— Celle sur laquelle est écrit *GDF SUEZ*.

— Qu'est-ce que cela veut dire ?

— Je n'en sais rien.

Paco restait immobile.

— Pareil endroit n'existe pas.

— Je l'ai vu en dehors des rêves, et nous y étions tous les trois heureux.

Dina s'écarta un peu pour s'asseoir plus loin.

Elle aboya calmement.

— Je veux connaître cet endroit… Qu'importe ce qui arrivera… Je ne peux être séparée de vous que si les hommes m'y obligent… Nous quitter est la meilleure façon d'accepter notre sort et d'oublier notre nature…

Elle avança vers nous.

— Paco ?

Il se retourna vers elle.

— Es-tu né pour être possédé ?

Paco ne dit rien un moment, peut-être parce que la question de Dina n'attendait aucune réponse, mais l'incitait à réfléchir pour prendre une décision.

Et c'est la tête levée au ciel qu'il aboya enfin.

— Il faudra partir tôt, avant le lever du jour et des hommes… Chien, sauras-tu nous conduire à cette clairière ?

— Je crois… En nous élevant dans la ville, nous repérerons les tours.

— Dormons encore un peu, il nous faudra des forces pour notre voyage.

Nous allâmes retrouver notre place sous l'arbre, Dina contre moi, et Paco dans mon dos, tel un puzzle de fourrure et de peau.

Je ne quittai pas l'œil brillant de Dina, comme une lumière rassurante.

— Dina, qui sont les hommes-éclairs ?

— Je ne les ai jamais vus… Mais on raconte qu'ils sont capables de créer la foudre… C'est eux qui nous cherchent… Ils ont attrapé Paco autrefois.

Je sentis Paco se crisper dans mon dos.

— Paco… Tu les as vus créer la foudre ?

— Dormons pour demain.

87.

Il fallait prendre de la hauteur quelque part dans la ville afin de repérer la tour *GDF SUEZ*.

Dina connaissait un endroit. Avant que ses maîtres ne l'abandonnent en même temps qu'ils abandonnaient leur amour, elle vivait avec sa maîtresse dans un quartier qui surplombait la ville.

— Elle me promenait souvent dans un jardin, et nous restions assises à regarder les lumières qui s'allumaient dans les maisons en bas.

Nous avancions partout où la route se faisait ascendante.

La pluie se mit à tomber, ce qui nous permit de boire un peu dans les caniveaux et sous les gouttières, mais l'eau effaçait aussi les odeurs et les traces que suivait Dina à la recherche de sa vie antérieure.

Je remarquai que Paco avait raison, trois chiens en liberté, avançant à vive allure sur les trottoirs de la ville, inquiétaient les hommes.

Ils n'avaient plus l'habitude d'une telle sauvagerie.

Nous lisions dans les regards :

Ils ne peuvent pas être ensemble pour autre chose qu'un mauvais coup.

C'est une bande !

Il vaudrait mieux les séparer !

Paco aimait ce soupçon de voyou qui pesait sur lui et en jouait régulièrement. Il grognait sur les passants, s'approchait vivement des vieilles femmes qui auraient pu nous trouver « mignons », et aboyait devant les enfants qui goûtaient dans la rue pour recevoir un peu de leurs viennoiseries.

Il nous arrivait régulièrement de croiser d'autres chiens.

La plupart tenus en laisse, marchant au pas de leurs maîtres.

S'ils étaient surpris en nous découvrant, et pouvaient même lâcher un petit aboiement de circonstance, notre allure vagabonde les ramenait vite au silence. Leur queue s'abaissait comme leur tête, ils semblaient à la fois perplexes, envieux et admiratifs de notre liberté.

A chaque sirène qui éclatait dans la rue, nous allions au plus vite nous planquer. Trouvant refuge derrière des voitures garées, dans les halls d'immeubles accessibles, ou cavalant à contresens dans la première ruelle.

Je demandai à Dina pourquoi nous devions fuir.

— Aucune sirène n'apporte de bonne nouvelle.

La circulation automobile et les arbres représentaient les deux véritables dangers de notre périple.

Si le premier est facile à envisager, traverser une rue ou une avenue relevant de l'exploit, le second était tout aussi complexe.

La nature, rare dans la ville, nous envoyait ses parfums cachés, et mille pistes à suivre, histoires à dévoiler, êtres passés.

Il fallait que nous nous surveillions les uns les autres, Dina ramenant Paco à la réalité, Paco m'écartant d'un peuplier, ou moi-même éloignant Dina d'un genêt en fleur exposé devant un fleuriste.

Heureusement pour nous, la végétation était plus rare que les voitures et plus encore que les sirènes, et nous ne perdîmes pas trop de temps pour rejoindre les hauteurs.

88.

Nous arrivâmes à l'ancien foyer de Dina alors que le jour déclinait.

La chienne était excitée et brûlait de nous montrer ce morceau de vie, comme l'on présente deux personnes que l'on aime.

Elle sautait d'une trace à l'autre, et nous avions du mal à la suivre, à la fois amusés et méfiants de nous retrouver dans cet ensemble d'immeubles modernes et sans âme.

Elle s'arrêta enfin devant les grandes fenêtres d'un rez-de-chaussée.

Paco et moi l'entourions de chaque côté.

Elle aboya tendrement.

— C'est ici.

Nous restions silencieux à observer l'intérieur de cet appartement.

Puis une lumière s'alluma dans le salon et une jeune femme apparut.

Dina pencha la tête et lâcha un gémissement.

— C'est elle.

La jeune femme enleva son manteau, le déposa sur une chaise, puis s'assit à la table pour lire un magazine.

— Ma maîtresse…

Peu de temps après, un homme du même âge arriva dans le salon, il se plaça debout derrière la jeune femme et se baissa pour l'enlacer et l'embrasser dans le cou.

La jeune femme éclata de rire et se tordit sous les chatouilles.

Dina releva la tête.

— Mais… C'est lui… Ils ne devaient plus vivre ensemble… Ils m'ont laissée parce qu'ils ne voulaient plus vivre ensemble…

La jeune femme se leva et se retrouva face à l'homme dans ses bras.

Ils s'embrassèrent longuement, puis l'homme retourna la femme pour être dans son dos, et descendit ses mains le long de son corps.

La robe plaquée contre la peau de la jeune femme montrait la forme arrondie de son ventre.

Dina aboya violemment.

Elle essaya d'avancer, mais Paco l'en empêcha en la prenant à la gorge.

Je restai figé, incapable du moindre mouvement, abasourdi par la tristesse de Dina.

89.

Nous passâmes un moment dans le jardin où Dina avait ses habitudes avec sa maîtresse.

La tour *GDF SUEZ* s'élevait devant nous et ne semblait pas si lointaine.

— A vol d'oiseau ! aboya Paco.

Pour notre espèce, les déplacements étaient longs et périlleux.

Dina ne bougea pas de la soirée, elle demeurait allongée, le regard perdu dans les lumières de la ville.

Paco se redressa d'un bond.

— J'ai une faim à manger un homme !

L'enthousiasme de Paco me releva du même bond.

— Moi aussi !

Dina restait immobile. J'allai lui tourner autour en lui envoyant quelques petits coups de tête.

Son humeur changea progressivement.

Elle tourna la tête de l'autre côté.

Me renvoya les mêmes coups.

Se leva pour m'échapper.

Je la rattrapai et lui sautai dessus.

Nous nous plaquions sur l'herbe humide, l'un sur l'autre à tour de rôle.

Lorsque je fus sous Dina, elle déposa son museau contre mon cou et lécha mon visage.

Puis elle se redressa vivement.

— Je vous dénoncerais aux hommes-éclairs contre une bouchée de viande !

Nous reprîmes notre chemin en courant, guidés par l'étoile néon *GDF SUEZ*, espérant trouver de quoi remplir nos ventres, avant les merveilles qui nous attendaient dans notre clairière promise.

90.

Paco avait déjà vécu en vagabond quelques mois avant d'être pris. Il avait traversé plusieurs nuits d'errance. Rencontré d'autres bandes. Affronté des chats et des rats.

Son instinct surdéveloppé lui permettait de sentir instantanément le danger d'une rue, l'arrière-pensée d'un homme, la tournure du temps.

La route qu'il empruntait n'était pas droite.

Il ne s'agissait pas d'avancer bêtement vers notre but. Il fallait anticiper, éviter de prendre trop de petites rues courtes qui menaient régulièrement vers une impasse, choisir parfois certaines avenues très passantes qui débouchaient sur un rond-point, idéal pour retrouver son chemin et fuir en cas de danger.

Ne jamais descendre dans les métros et souterrains, qui n'étaient que des pièges sans repères, sans vent d'est ou d'ouest à suivre.

Ce que Paco aimait par-dessus tout, c'était les marchés découverts.

— Ces marchands sont des voyageurs, et comme tous les peuples nomades, leur regard sur nous est différent.

Les chassés reconnaîtront les chassés.

Les odeurs de poulets cuits à la broche nous aidèrent rapidement à en trouver un.

La volaille commençait à tourner dans leurs rôtissoires des heures avant le lever du jour.

Nous avions l'embarras du choix tant les parfums nous arrivaient de directions différentes.

Mais nous ne quittions pas notre cap, et débarquions sur un marché installé dans l'axe de la tour *GDF SUEZ.*

91.

Paco n'était pas le seul à aimer les marchés.

Des bandes de chiens et de chats arrivaient de partout.

Tous plus sauvages les uns que les autres, certains blessés, estropiés, mutilés, d'autres sortant de je ne sais quels égouts immondes.

Dina se colla à moi alors que nous avancions dans une allée bordée d'étalages en tout genre.

Paco aboya.

— Vous n'aurez pas à avoir peur, tant que vous ne convoiterez pas la nourriture d'un autre… Si l'un de ces marchands envoie voler une peau de poulet ou du gras, c'est au plus près de le ramasser.

La plupart des animaux étaient déjà en place devant les stands. Ils restaient assis, attendant que le vendeur découpe ses produits et se débarrasse des restes invendables.

Dina aboya.

— Toutes les places sont prises !

Paco ne se retourna pas pour répondre, il avait un plan.

Nous le suivîmes jusqu'au bout de l'allée et quittâmes le marché pour traverser la rue.

— Paco, nous quittons le marché !

Il s'arrêta sur le trottoir.

— Les jours de marché, les commerçants des quartiers installent aussi des étalages devant leurs magasins... Ils sont plus généreux que les autres puisque c'est un jour exceptionnel pour eux et rares sont les chiens au courant de leurs pratiques.

Paco cherchait déjà un magasin devant lequel s'installer.

— Ces ignorants n'auront droit qu'à quelques fruits pourris, alors que nous hériterons d'un poulet entier et de saucisses tout juste grillées.

L'odeur de volaille la plus proche nous conduisit dans une petite cour à l'arrière d'un immeuble.

Une porte ouverte donnait sur les cuisines d'un traiteur où nous pouvions voir deux hommes préparer des plats et enfourner des cocottes.

Paco aboya fort pour attirer leur attention.

L'un des hommes vint vers nous et resta sur le seuil à nous regarder.

L'homme appela son collègue.

— Regarde-les ces chiens... Une vraie famille !
— Allez, on a du boulot !
— Donnons-leur à manger !
— Non, le patron va s'en rendre compte !
– Il y a toujours trop, juste une saucisse ou deux et un peu de bacon.
— Tu es trop sensible Farooq !
— C'est ce que disent les femmes, Ali !
L'homme nous apporta toutes sortes de choses. Saucisses de volaille et de porc, bacon, croûtes de fromages, raviolis fourrés au bœuf, spaghettis à la sauce tomate et à la viande.
A peine avait-on fini une assiette qu'il revenait avec une autre, ne manquant jamais au passage de nous caresser le haut de la tête.

92.

Les tours qui s'élevaient partout, et qui entouraient la *GDF SUEZ*, semblaient inhabitées. Les lumières électriques des plafonds étaient allumées et, dehors, des ampoules incrustées à même le sol projetaient des faisceaux bizarres, remplaçant les arbres.
Nous avancions au pas en suivant Paco qui marchait les épaules basses et la queue repliée.

Dina se colla à moi et je sentis le frisson qui traversait son corps.

Si les hommes font peur, l'absence d'hommes dans leur société est encore plus redoutable.

Le vent ne pouvait s'engouffrer ici, et aucune odeur ou trace passée n'arrivait à nos sens.

Nous ne pouvions pas non plus compter sur le ciel pour nous repérer, des nuages noirs étaient accrochés à chaque coin des immeubles, comme une toile tendue au-dessus de nos têtes.

Il fallait continuer tout droit. Guetter le moindre mouvement, imaginer les pièges et s'armer de méfiance.

Paco s'arrêta d'un coup.

— Que se passe-t-il ?

— Un oiseau !

A quelques mètres devant, un moineau s'était posé sur le parvis de béton.

— Qu'est-ce qu'il fait là ?

— Il a dû se perdre.

J'ajoutai sans réfléchir :

— Ne l'effrayons pas.

Mais Paco reprit :

— Au contraire, il s'envolera et nous tâcherons de le suivre le plus longtemps possible afin qu'il nous sorte d'ici.

D'un mouvement de tête, nous fonçâmes tous les trois en aboyant vers ce pauvre moineau qui déguerpit sur-le-champ.

Nous poursuivîmes notre course, la tête levée au ciel et vers l'oiseau qui s'effaçait lentement pour disparaître, aspiré dans le nuage noir.

Dina aboya :

— Je ne le vois plus.

— Ce n'est pas grave, il nous a montré la direction qu'il prenait.

— Mais si ce n'était pas la bonne ? Peut-être qu'il retournait vers la ville.

— Nous n'avons pas le choix, nous devons quitter cet endroit.

Nous continuâmes notre course, le plus vite possible, essayant de fuir la menace qui nous enveloppait.

J'avais du mal à garder le rythme à quatre pattes, Dina dut revenir plusieurs fois me chercher pour m'encourager d'un coup de museau, et Paco ralentir pour ne pas nous semer.

C'est alors que les hommes apparurent.

Des milliers d'hommes et de femmes, surgissant de partout, du sol, des bus, des voitures et des rues.

Ils arrivaient à mesure que le jour se levait.

Semblable à une ruche, dont le mouvement paraît fou à celui qui n'en fait pas partie.

Nous devions zigzaguer entre leurs jambes, éviter l'essaim qui débouchait à gauche, contourner le troupeau qui s'engouffrait dans une tour.

Ces hommes et ces femmes se ressemblaient, ils ne formaient qu'une seule et unique personne.

Un être gigantesque que nous devions crever.

Tout ici était fait pour ne pas se cacher, des angles droits, des murs de verre.

S'arrêter, c'est mourir.

Perdus dans le tourbillon de leur parade, nous devions trouver la faille et transpercer l'ogre.

Les hommes commençaient à s'agiter, nous injuriant, claquant dans leurs mains, se prévenant les uns les autres.

Nous devenions de gros insectes qu'ils chassaient en remuant les bras, leurs sacs, parapluies et tout ce qui pouvait servir à nous éloigner.

Et ce que l'homme ne peut repousser, il le tue.

Des hommes en uniforme, sortis des tours, se mirent à nous poursuivre.

Je demandai à Paco :

— Ce sont les hommes-éclairs ?

— Non, mais ils leur ressemblent

Des allées se formèrent pour laisser passer la chasse.

Drôle de cortège que ces trois chiens errants traqués par les uniformes. Divertissement matinal que les hommes oublieraient vite une fois montés dans leurs tours.

A présent, nous pouvions quitter la foule, mais coursés par les uniformes, et notre seule chance était de courir pour les semer.

Si seulement l'oiseau nous avait indiqué la direction de la forêt...

Là-bas, nous serions plus forts, fuyant à travers les fourrés denses, ignorant les épines d'orties, la griffure des branches.

93.

A la sortie de l'ensemble de tours, nous débouchâmes sur une place, gigantesque, sur laquelle un million de voitures tournaient, rejointes par d'autres milliers venant des avenues qui s'embranchaient comme les rayons d'un soleil sur l'immense rond-point.

Paco aimait les places qui offraient une multitude d'échappatoires, mais cette fois, avec les uniformes à nos trousses et la circulation, nous risquions de nous faire rapidement écraser.

Nous ralentîmes avant de franchir la première avenue.

Je reconnus l'endroit.

J'aboyai :

— Nous sommes venus ici avant de rejoindre la forêt, elle se trouve juste après cette place.

Dina leva le museau :

— Oui, je sens l'herbe et les pins, c'est de ce côté.

Dina indiqua une direction, nous levâmes la tête pour découvrir au loin, cachées derrière les immeubles, les cimes des plus hauts arbres.

Les uniformes arrivèrent sur la place.

— Que fait-on ?

— Il faudra traverser, nous n'avons pas le choix.

Paco s'élança le premier, nous le suivîmes.

Les voitures pilaient, klaxonnaient en nous évitant de justesse, un homme en moto réussit à m'envoyer un coup de pied aux fesses qui me décala, mais je pus me redresser et retrouver les autres sur le trottoir en face.

En nous retournant, nous fûmes surpris de voir que les uniformes n'avaient pas bougé. Ils restaient de l'autre côté de l'avenue en nous regardant.

L'un d'eux se servait d'un téléphone et parlait en nous montrant du doigt.

Dina demanda :

— Pourquoi ont-ils arrêté de nous poursuivre ?

— Je ne sais pas, mais ce n'est pas bon signe pour autant… Nous continuerons notre chemin vers la forêt et resterons sur nos gardes.

A mesure que nous avancions, les arbres semblaient grandir et se découvrir derrière les immeubles.

Nous profitâmes d'un embouteillage pour franchir la deuxième avenue plus facilement.

Les uniformes ne bougeaient toujours pas, installés au croisement, deux artères plus loin.

94.

Dina fut la première à les voir.

Alors que nous arrivions sur la troisième avenue, dernière marche avant notre libération, une camionnette blanche aux fenêtres grillagées, tachée d'autocollants jaune fluorescent et bleu, s'arrêta brusquement devant nous et boucha d'un coup notre horizon.

— Les hommes-éclairs !

Trois hommes en combinaisons épaisses sortirent vivement de la camionnette par une porte coulissante.

Chacun tenait une sorte de barre de métal noir, et l'un d'eux traînait un filet. Il portait aussi une ceinture, sur laquelle étaient accrochés toutes sortes d'objets étranges.

Paco enfonça ses griffes dans l'asphalte et s'abaissa en grognant dans la direction des hommes qui nous entourèrent rapidement.

Dina se cacha derrière moi.

Je restai saisi, pris d'un vertige et ne sachant quel comportement adopter.

Paco aboya plusieurs fois, et même s'il le faisait vers les hommes, c'est à nous qu'il parlait :

— Il ne faudra pas rester immobiles... Nous devrons esquiver et fuir... Ils nous encercleront et chercheront à nous envoyer la foudre avant de nous piéger dans leur filet.

Les hommes avançaient pas à pas et nous sentions le triangle rétrécir.

Paco aboya encore :

— Ils attaqueront en premier et ensemble, bondissez le plus haut possible dès qu'ils déclencheront... Ils ne savent pas que les chiens peuvent voler !

Effectivement, les hommes-éclairs se baissaient à notre hauteur à mesure qu'ils approchaient.

Paco, Dina et moi nous serrions un peu plus au centre du piège.

Soudain, l'homme lança son filet.

Paco hurla :

— Maintenant !

Nous sautâmes tous les trois au-dessus des hommes.

Paco et Dina s'élevant à une hauteur considérable, alors que j'arrivais à peine à me projeter à plus d'un mètre du sol.

L'un des hommes réussit à lever sa barre de métal pour me toucher au ventre.

La décharge électrique qui me saisit coupa net mon élan ainsi que mon système mental et physique.

Je restai immobilisé au sol en tremblant, sentant l'électricité faire le tour de mon corps.

Je voyais les gens s'agglutiner tout autour, la barre de métal continuer de cracher ses éclairs bleus dans la main de l'homme, Paco et Dina arrêter leur course de l'autre côté de la dernière avenue, et se rendre compte de mon échec, et plus loin, les arbres majestueux, gardiens du royaume de ma liberté.

Paco aboya :

— Tu resteras au sol encore un instant, les hommes ne peuvent pas te toucher tant que la foudre ne t'aura pas quitté… Tu continueras à faire semblant de trembler et te lèveras d'un bond pour nous rejoindre.

J'attendais que l'électricité disparaisse de mon corps. Mais j'étais moi-même incapable du moindre mouvement.

L'homme qui m'avait touché restait au-dessus de moi, les deux autres se préparaient à retrouver Paco et Dina.

Je pus cligner d'un œil, puis de l'autre, l'homme ne s'en rendit pas compte, et doucement je sentis revivre chacune de mes extrémités, et la vie se propager partout ailleurs.

Je bondis d'un coup, et il fallut que je produise un effort terrible car l'éclair m'avait assommé, et mes membres n'avaient pas encore totalement récupéré.

J'avançais bizarrement, tel un cul-de-jatte, en poussant sur mes bras pour traîner la partie inférieure de mon corps, puis me retrouver en boule, replié sur moi-même, et recommencer le geste ridicule.

Dina aboya pour m'encourager.

Je ne comprenais pas pourquoi l'homme restait au-dessus de moi en pointant sa barre de métal. A la vitesse à laquelle j'allais, il pouvait facilement me capturer.

Je regardai Paco pour comprendre.

Il aboya :

— Ils voudront nous attraper ensemble, ils savent que les chiens sont solidaires.

Je répondis mollement :

— Ne restez pas ici… Partez… Vers la forêt…

Dina hurla à Paco :

— Il est trop faible, il n'y arrivera pas !

Ma force revenait progressivement, j'accélérai un peu pour quitter le trottoir et me retrouver sur la dernière avenue.

L'homme-éclair qui suivait mon triste chemin n'aima pas cette énergie nouvelle.

Il m'envoya sa barre de métal dans les côtes et une autre décharge électrique.

Je m'effondrai au sol, pris de convulsions plus violentes que la première fois. Le contact avait été plus long et l'éclair plus puissant, je me convulsais sur le pavé comme un poisson hors de l'eau.

Je vis Paco avancer vivement vers nous.

Les deux autres hommes lui firent face, prêts à l'accueillir.

Je reçus une nouvelle décharge.

Paco fonça en avant, incapable de se retenir en me voyant souffrir au sol.

95.

J'assistai, immobile, impuissant et tremblant, à la bataille.

Paco, bâtard magnifique, jaillit sur le premier homme, il cogna sa poitrine de la tête et croqua le bras. Mais l'homme ne sentit rien, protégé par l'épaisse combinaison qu'il portait, certainement rembourrée comme les vêtements que nous avait montrés Max.

Paco retomba en évitant les barres de métal qui tentaient de le toucher à gauche et à droite.

De plus en plus de gens s'étaient réunis autour de nous.

Je remarquai une femme âgée qui tenait un petit chien en laisse.

Le chien aboya au début, mais je ne pus comprendre son langage, et sa maîtresse lui ordonna de se taire.

Je restai un moment le regard perdu dans celui de ce petit spectateur, cousin éloigné, qui devait envier notre liberté, mais pas notre place à présent.

Le sauvage connaîtra la violence.

En plus de défier les hommes, Paco devait se méfier de la circulation derrière lui. Le flux de voitures qui défilaient pour s'engouffrer sur la place n'avait pas le temps de ralentir en découvrant notre spectacle. Dina, qui se trouvait de l'autre côté, prévenait Paco en aboyant, lorsqu'il reculait trop sur la voie.

Il resta un moment à tourner sur lui-même, reprenant son souffle et réfléchissant au meilleur angle pour sa prochaine attaque.

Les hommes étaient patients, ils semblaient nous connaître, et ne pas en être à leur première capture.

Pour exciter Paco, l'homme qui m'avait foudroyé plusieurs fois revint vers moi pour m'infliger une nouvelle décharge.

Paco bondit avant que la barre ne me touche.

Il évita les deux premiers pour s'abattre sur mon bourreau.

La rapidité de son geste et la violence qui suivit fut telle que le troupeau qui nous entourait s'élargit d'un coup, des cris de femmes, des jurons d'hommes s'élevèrent dans l'air.

Paco avait réussi à plaquer l'homme au sol, il cherchait à le mordre au visage, mais croquait surtout les mains qui le protégeaient.

Les deux autres arrivèrent à toute vitesse et cherchèrent à écarter Paco, sans pouvoir se servir de leurs barres métalliques tant qu'il était en contact avec leur collègue.

Des coups de poings, de pieds, des étranglements, rien ne pouvait stopper le chien qui avait franchi la frontière, et se trouvait désormais sur le sentier sauvage, où dans l'affrontement, la mort est le seul refuge possible.

L'un des hommes décrocha un objet de sa ceinture.

Il vint se mettre face à Paco, plaça l'objet devant sa gueule et l'aspergea d'un gaz gris et puissant.

Paco aboya mais sa voix s'étouffa vite, et il ne put que secouer la tête pour chercher à extraire le poison.

Il restait dressé sur l'homme, mais toute force l'avait quitté.

Les deux hommes debout lui envoyèrent plusieurs coups de pieds. Paco s'effondra quelques mètres plus loin, continuant à tousser, voulant rester sur ses pattes, digne et combattant.

Les deux hommes l'encerclèrent par-derrière et lui envoyèrent ensemble leur barre métallique dans chaque flanc, tenant l'appareil le plus longtemps possible, jusqu'à ce qu'il leur brûle les mains.

Le corps de Paco se souleva en recevant les décharges.

Il se retrouva sur la chaussée, bringuebalant, puis se coucha plus loin, au milieu de l'avenue.

Il garda encore un peu la tête levée, pour voir en face ce qui allait le tuer.

Et lorsqu'un nouveau flot d'automobiles arriva, il laissa tomber sa tête sur le béton et ferma les yeux.

Un vent sembla naître dans les arbres lointains pour faire chanter les feuilles, et envoyer au malheureux un dernier parfum de joie.

Je suis certain que Paco était déjà mort avant que la voiture ne l'écrase.

Dina aboya de tout son cœur, et son cri déchira la vie.

Les gens réunis se mirent doucement à siffler, jurer, et huer les hommes-éclairs.

Ils ne voulaient pas de misère dans leur ville, mais ne supportaient pas qu'on la tue devant eux.

On mit Paco dans un sac-poubelle, puis dans la camionnette.

Dina se laissa faire lorsqu'on la tira par la peau du cou pour la faire avancer jusqu'à la porte coulissante du véhicule.

Et quand on me souleva à mon tour, je laissai le regard gêné des hommes pour contempler le morceau de forêt qui s'élevait derrière les immeubles.

96.

Dans la camionnette qui roulait dans la ville, nous étions chacun dans une cage séparée. Dina et moi, l'un en face de l'autre, ne nous quittions pas des yeux. Pour se soutenir, mais aussi ne pas baisser le regard sur le sac-poubelle au sol dans lequel se trouvait le corps de Paco.

Un autre chien était avec nous. Enfermé quelque part dans une cage à l'autre bout de la camionnette.

Dina aboya :

— Où peuvent-ils nous emmener ?

L'autre chien répondit :

— Au dépôt… et après ils nous ramènent chez nous.

— Et si nous n'avons pas de chez nous ?

— Alors j'en sais rien, pour moi c'est la troisième fois, je suis un fugueur, ça me prend la nuit, je creuse dans le jardin, je pars faire un tour, et je me perds.

La camionnette prit de la vitesse. Elle semblait avoir quitté la ville et rouler sur une route sans feu ni encombrement.

97.

La camionnette s'est arrêtée. Les hommes-éclairs nous ont sortis en nous menaçant avec leurs barres métalliques.

Dina aboyait sans cesse, l'autre chien et moi aboyions aussi mais pour qu'elle arrête de le faire.

Nous étions dans une sorte de hangar, sombre et humide, sans fenêtre pour nous indiquer le jour ou la nuit.

D'autres camionnettes étaient garées, dont on sortait des dizaines de bêtes.

La plupart aboyaient :

— J'ai peur... C'est un malentendu... Je ne suis pas ce que vous croyez...

Je restai près de Dina et me soulageai en la réconfortant.

— Je ne veux pas qu'on nous sépare !

— Ne t'inquiète pas.

Le chien de la camionnette était calme, véritable habitué des lieux, il suivait tranquillement les hommes-éclairs.

— Regarde, Dina, faisons comme lui, n'exprimons aucune colère ou l'on nous punira.

— Mais je les hais tellement... Ils me font peur.

— Je sais.

Une bagarre éclata entre deux chiens.

Immédiatement, ils reçurent chacun deux décharges qui les plaquèrent au sol.

Le silence revint, jusqu'au moment où les hommes commencèrent à séparer les chiens dans tous les sens.

Après un rapide examen, ils décidaient du sort de la bête en la conduisant dans telle ou telle direction.

Notre tour arriva.

Dina se colla contre moi et je sentis le tremblement triste de son corps.

Deux hommes se penchèrent sur moi. L'un d'eux écarta ma mâchoire pour regarder l'intérieur de ma bouche avec une lampe, pendant que l'autre me souleva une jambe.

— C'est quoi comme race ça ?

— Je sais pas… Il est pas beau !

— Il a une puce ?

— Pas l'impression !

— Ben il est pas prêt d'être adopté celui-là !

— On devrait le piquer tout de suite !

Ils riaient en se redressant.

— Emmène-le à l'infirmerie, il a pas l'air en forme.

L'homme me passa une corde autour du cou et tira dessus.

Je résistai.

Dina aboya, et abandonnant tout contrôle, essaya de mordre les hommes.

Elle reçut une décharge.

Je ne le supportai pas, et tentai aussi de mordre les mains qui s'agitaient devant moi.

Je reçus une décharge.

Dina et moi étions couchés, corps vibrants, perdus, nous accrochant à notre regard, en sachant qu'il serait le dernier.

L'homme tira sur la corde, et je fus traîné dans le hangar, incapable de bouger, assistant silencieusement à notre séparation.

98.

Bientôt, le jour va se lever.

On m'apportera quelques croquettes et ma gamelle sera remplie d'eau.

Les gens ne vont pas tarder à arriver.

Ils regardent surtout les autres, et pour le moment, personne ne s'est vraiment arrêté devant ma cage.

Hier, le chien qui vivait en face a été adopté.

Il n'est pas resté longtemps.

Une fois, il m'a parlé :

— Fais un effort… Fous-toi sur tes pattes arrière, penche la tête et donne de la langue.

Je passe mon temps couché sur le ventre.

Il y a eu beaucoup de nuits et de journées.

Au début, j'appelais Dina dès que j'entendais s'ouvrir la grille d'une cage.

Je me réveillais en aboyant, ou mes propres aboiements me réveillaient, je rêvais de Paco, et retrouvais doucement la réalité dans ma cage, sous le regard d'un nouvel occupant face à moi.

Je suis ici depuis longtemps.

Je ne peux pas dire précisément depuis quand, car je ne sais plus les heures et les jours, mais longtemps veut dire l'ennui et la maigreur.

Certains disent qu'à un moment, ceux qui n'ont pas trouvé de maîtres sont tués.

Qu'ils le fassent.

Je ne peux plus avoir peur si je suis déjà mort.

Je suis mort en tant qu'homme. Puis en tant qu'être.

J'entends les grilles s'ouvrir et les gens parler.

Les premiers arrivent.

Des familles. Des hommes seuls et tristes. Des vieilles femmes abandonnées.

Le regard qu'ils jettent sur moi est navrant.

Mais j'en suis fier.

Je ne veux pas être mignon.

Je ne veux pas plus de vous que vous ne voulez de moi.

Je vous refuse.

99.

La journée passe.

Un enfant s'arrête devant ma cage.

Il ne bouge pas.

Cela fait longtemps que l'on n'est pas resté autant devant moi.

Je lève un peu les yeux.

L'enfant me sourit.

Un couple le rejoint, sûrement ses parents.

L'enfant me montre du doigt.

— Je veux celui-là !

La femme ne dit rien et me regarde.

L'homme n'est pas d'accord

— On va pas prendre ça… C'est le plus moche !

— C'est lui que je veux !

La femme appelle le gardien.

— Vous pouvez faire… Enfin, nous dire pour ce chien.

— Il est arrivé il y a un mois… Il bouge jamais… Je suis pas sûr que ce soit l'idéal pour votre fils.

La femme passe sa main dans les cheveux du garçon.

— Tu entends Victor ? Tu ne veux pas regarder les autres chiens ?

— Non… C'est celui-là !

La femme aime son fils.

L'homme n'a pas le même amour.

— On va quand même pas ramener ce truc chez nous !

— Ecoute, c'est son anniversaire, on lui a promis un chien, alors c'est à lui de choisir.

Le gardien me demande de me redresser.

Je ne veux pas.

Mais l'enfant me parle, et j'aime sa voix.

— Allez, assieds-toi !

Je me redresse doucement, mon corps est vide, j'ai du mal à avancer jusqu'aux barreaux de ma cage, je m'assois devant eux.

L'enfant me caresse la tête.

— Je veux ce chien !

La femme se baisse un peu, nous nous regardons.

— C'est bizarre… il a quelque chose de… familier.

L'homme se baisse aussi.

— Moi je trouve son regard très angoissant… C'est un chien qui a souffert.

Tous les chiens ont souffert.

— Comment s'appelle-t-il ?

— Il n'a pas de nom.

100.

Je m'appelle Jack.

C'est mon maître Victor qui a choisi mon nom.

Sa mère n'était pas d'accord parce qu'ils ont connu quelqu'un qui s'appelait Jacques et qui est mort. Mais l'enfant a insisté et gagné.

J'habite une maison dans Paris.

J'ai un coussin pour dormir installé dans la chambre de mon jeune maître.

Le soir, après que sa mère l'a embrassé et a éteint la lumière, nous nous regardons dans l'obscurité.

Il me parle de ses secrets et de ses rêves.

Il aime une fille de sa classe mais ne le lui a pas encore dit.

Il n'aime pas son beau-père.

Son vrai père lui manque, mais il va mieux depuis que je suis ici.

La journée je suis seul.

Mon maître va à l'école, et ne manque jamais de me câliner avant de s'en aller.

Ses parents partent au travail.

Depuis mon arrivée, je mâche une chaussure rouge qui appartient au beau-père de mon maître.

Il a voulu me corriger au début, mais mon maître et sa mère l'en ont empêché.

La chaussure rouge est devenue mon jouet.

J'ai rencontré le chien qui appartient à notre voisine.

Il ne m'a rien demandé de mon passé, et lui n'en a pas à raconter

Il y a quelques jours, la femme m'a emmené avec elle chercher son fils à l'école.

Il a explosé de joie en me voyant.

Ses camarades sont venus m'entourer et me donner des morceaux de leurs goûters en me caressant.

L'un des gamins, plus grand que les autres, m'a fermement saisi la tête et soulevé mes lèvres pour voir mes dents.

Mon maître lui a dit :

— Arrête, Stanislas !

Mais l'autre a continué :

— Tais-toi, t'y connais rien en chiens… Il est nul celui-là, il a pas de vrais crocs.

Je lui ai gentiment croqué la main.

Le môme a pleuré et j'ai vu la fierté dans le regard de mon maître.

La femme est douce avec moi. Elle m'invite souvent à m'allonger près d'elle sur le canapé lorsqu'elle regarde la télévision.

Elle passe son temps à me caresser le ventre et les bras.

L'homme a parfois tenté de me battre lorsque le reste de la famille n'était pas là.

J'ai grogné et aboyé pour lui faire comprendre qu'il n'était qu'une fourmi sur ma terre de violence.

Il n'a plus recommencé et m'ignore depuis.

J'aime quand le jour se lève. Les nuits claires où quelques étoiles sont visibles dans le ciel pollué. La couleur rose du ciel parfois au crépuscule. Entendre les oiseaux chanter. Etre lavé du vent. Attraper les odeurs lointaines et nouvelles. Entendre les chats se battre. Filer un insecte et observer son labeur. Attendre qu'une goutte de pluie glisse sur le carreau de la fenêtre et suivre son chemin. M'allonger au frais. Dormir au soleil. Entendre les pas de mon maître dans l'allée. Le voir danser sur des musiques. Rester couché dans sa chambre quand il invite un ami. Qu'il m'éclabousse quand il se lave. Le regarder s'habiller. Le regarder quand il rigole devant la télévision. Le regarder quand il me dessine. M'asseoir à ses pieds à table. Récupérer ses restes en douce. Surtout la viande. Et parfois, le poulet du soir. J'aime quand il me sort. J'aime être dehors. Quand nous allons au parc. J'aime qu'il me libère de la laisse. Que nous courions ensemble. Qu'il me jette des choses le plus loin possible. Lui ramener les choses qu'il m'a jetées. J'aime les balles. Encore plus les bâtons. J'aime ne pas trouver le bâton et devoir le chercher longtemps. J'aime cavaler sans raison. M'allonger près du lac et regarder l'eau. Quand l'eau frémit. Surprendre un poisson sortir sa tête et replonger. Manger l'herbe et la terre devant moi. L'herbe sauvage. La terre humide. J'aime croiser d'autres chiens. Sentir leur derrière pour me rappeler Dina. J'aime penser à Dina. Espérer la retrouver dans la rue ou au parc. J'aime savoir que Dina est en vie puisqu'elle existe en moi. J'aime rêver de Paco et le sentir courir dans mon âme.

A présent, je suis dans la chambre de mon maître. Couché sur mon coussin.

Sa mère l'embrasse.

— Bonne nuit Victor !

— Bonne nuit Maman !

Puis elle se penche sur moi et m'embrasse le haut de la tête.

— Bonne nuit Jack !

Je lèche sa joue.

Elle éteint la lumière.

Mon maître se met sur le côté et face à moi.

Nous nous regardons.

Il va bientôt s'endormir.

Il me sourit.

— Je t'aime.

J'aboie doucement :

— Je t'aime.

Nous fermons les yeux.

Mise en pages Datamatics

Cet ouvrage a été imprimé
par CPI BUSSIERE
à Saint-Amand-Montrond (Cher)
en février 2015

Grasset s'engage pour
l'environnement en réduisant
l'empreinte carbone de ses livres.
Celle de cet exemplaire est de :
750 g éq. CO_2
Rendez-vous sur
www.grasset-durable.fr

N° d'édition : 18721
N° d'impression : 2014285
Dépôt légal : mars 2015
Imprimé en France